誰も教えてくれない

不動産売買の教科書

姫野秀喜
Hideki Himeno

はじめに

不動産の売買は、人生におけるビッグイベントの1つです。一生に一度の買い物といわれるマイホームの購入はもちろん、アパートなどの賃貸物件の購入・売却は、当事者にとって1つとして手を抜くことができない重要なことです。

この人生のビッグイベントに携わることができる唯一の職業、それが不動産業（宅建業）です。

不動産の売買は少なくとも数千万円からという、とても大きな金額が動きます。個人としては数十年のローンを組みようやく支払えるような莫大な金額です。当然、失敗すればその人の人生を台無しにするリスクを負うものです。

そのような取引に携わるわけですから、不動産業者は絶対に失敗が許されません。お客さんの人生をよくすることも悪くすることもできる、そのカギを握っているのが不動産業者というわけです。

本書には、不動産業者に勤務し始めた新入社員や不動産売買取引の初心者に向けて、不動産取引を成功させるために必要なあらゆるプロフェッショナリズムを詰め込みました。

不動産のプロになるために必要な倫理観とスキル・知識を実際の取引の流れに即しながら丁寧に解説しています。

また、不動産のプロとして以上に、プロのビジネスマンとして必要な仕事の効率化スキルや、パソコン操作についてのスキルも身につけられるよう、随所に【仕事のワザ】をちりばめています。これらの仕事の効率化スキルやワザは、不動産業のみならず、将来、別の職業に転職したときにも役に立つ汎用的なビジネススキルですので学んでおくに越したことはありません。

さらに、本書の第8章では宅建試験（宅地建物取引士試験）の効率的な独学の方法論についても言及しています。入社一年目の人が仕事をしながらモチベーションを高め、効率的に最短距離で合格するための指針を学ぶことができます。プロフェッショナルは常に新しいことを学び続けなくてはなりません。独学の方法論は、宅建のみならず様々な資格やスキルをブラッシュアップしていく礎となるでしょう。

最後に、本書は可能な限りＩＴを活用し、効率的に業務を行うことを追及する姿勢で書かれています。情報の鮮度が命である不動産は、ＩＴと極めて親和性が高いはずの業界であり、今後ますますＩＴ化するからです。

現在、ほとんどＩＴ活用ができていないこの業界に新しい風を吹かせ、ハイパフォーマンスでエシカルなプロフェッショナルとなるのは、幼い頃からＩＴに慣れ親しんでいるデジタルネイティブのみなさんです。

本書が温故知新で知識・スキルを学び、効率的な新しい方法を考え、新たな付加価値を生み出すプロフェッショナルを目指す方の一助とならんことを願います。

誰も教えてくれない　不動産売買の教科書　もくじ

第2章

購入希望から始まる不動産売買

第3章 物件調査から始まる契約書・重説作成

第4章 楽々作れる重要事項説明書

第5章 ついに迎える売買契約締結

第6章

権利証探しから始まる決済準備（売主側）

第7章

金消契約から始める決済準備（買主側）

第8章

仕事をしながら宅建に合格する勉強法

第9章 抜け漏れゼロの仕事術を身につけよう！

ブックデザイン　大場君人
図版制作　石山沙蘭

序　章

不動産売買の全体像

1 不動産取引の流れを把握して効率的に動こう

不動産売買は、物件が売れて（買えて）はじめて報酬を受け取ることができます。どんなに急いでも、通常は売買を開始してから取引完了まで1～3か月ほどの時間が必要となるでしょう。というのも不動産取引には時間や手間のかかる様々なハードルがあるからです。それらのハードルを1つ1つ効率よく乗り越えていけるようになるために、不動産売買の全体マップを作成しました。

この全体マップを見ることで、新人や売買に不慣れな仲介業者でも、どのタイミングで何が必要なのか事前に把握することができ、無駄なく動くことができます。

不動産取引で大変なことは、**とにかく移動に時間がかかる**ということです。A地点にある物件に行き、B地点にある役所に行き、C地点にある税務署に行き、D地点にある……というように、外回りに多くの時間をとられます。物件自体の調査や役所での用事自体は15分程度で済むことが多いのに、往復する時間で何時間も費やさなくてはならないのです。

1つ忘れ物をしただけで、この往復時間が無駄になってしまうため、一度に済ませられる用事は必ず抜け漏れがないように完了させ、効率的な動線で移動することを心がけなくてはなりません。

本書では、不動産売買取引を時系列で各章に分けて説明します。

まず第1章では主に売主と売主側業者に焦点をあて、売買のスタートを描きます。第2章では買主と買主側業者の振る舞いを見ます。売主側・買主側両方の業者が行う最も大切な業務として、物件調査については第3章にて細かく見ていきます。第4章では重要事項説明書を不安なく作る方法を説明します。第5章で売買契約の締結時に注意すべきこと、第6章では売買契約後の売主側の動き、第7章は買主側の金消契約から決済について説明します。第8章では不動産業者として必須の資格である宅建の効率的な勉強法について言及します。第9章では仕事で抜け漏れしないための仕事術を説明します。

本書は、単に不動産売買取引の知識だけではなく、仕事の効率化について言及していることも特長です。本書を学ぶことで、文章作成の方法やエクセルによる計算など、できる限り素早く正確に、効率的な事務作業を行うことができるようになります。

不動産の知識はもちろんのこと、事務作業の効率化で時間的余裕を生み出し、よりお客様のための活動ができるプロのビジネスパーソンになりましょう。

▼本書の内容

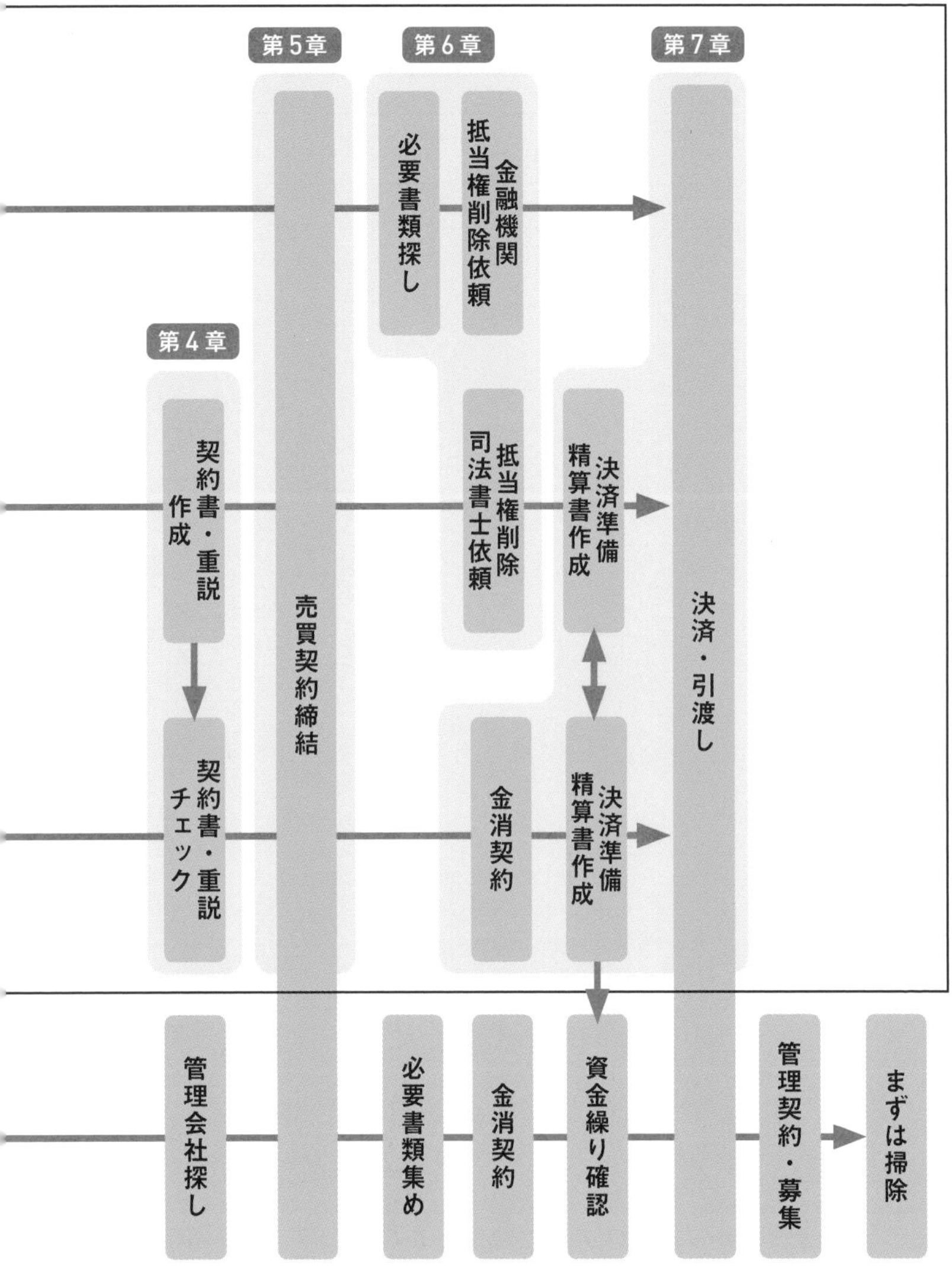

第4章
第5章
第6章
第7章
管理会社探し
契約書・重説作成
契約書・重説チェック
売買契約締結
必要書類探し
金融機関抵当権削除依頼
抵当権削除司法書士依頼
金消契約
決済準備精算書作成
決済準備精算書作成
決済・引渡し
必要書類集め
金消契約
資金繰り確認
管理契約・募集
まずは掃除

不動産売買の全体マップ

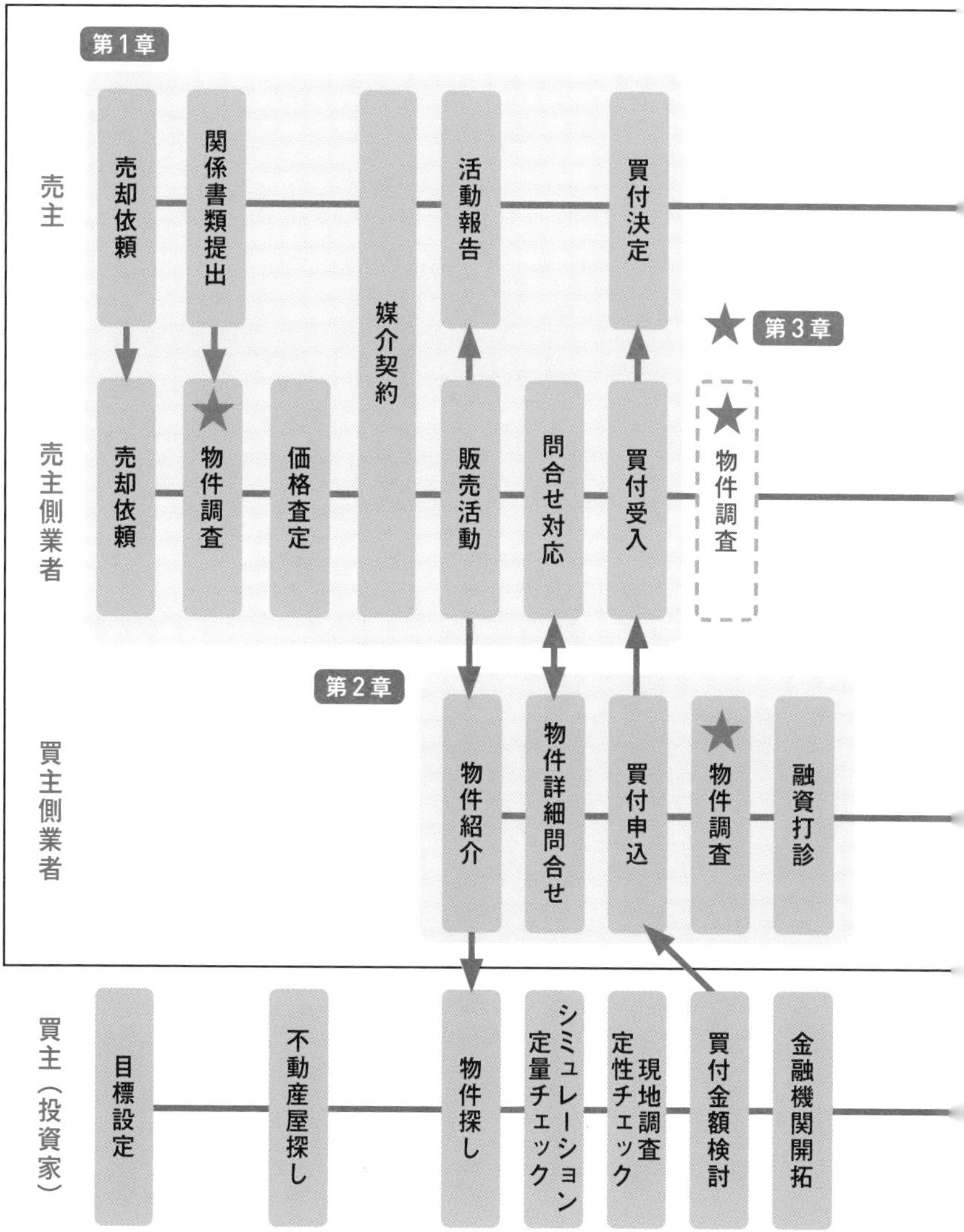

2 不動産のプロとアマの違い

不動産のプロとアマの違いを決めるのは**倫理観**です。どんなに優秀なビジネスマンでも倫理観が欠如していればまともな仕事はできません。仕事とは付加価値を生み出すことです。お客さんをより幸せにする〝よい結果〟を生み出すことが付加価値であり、お客さんに悪い結果を与えるのであればそれは付加価値とはいえません。

私たちが取り扱う不動産、特に収益不動産の売買はこの付加価値が明確です。**お客様が購入した収益物件できちんと利益を上げ、資産として蓄財を手助けすることが一番の付加価値です。**具体的には、売却にあたって売却益を出すことができたり、素早く決済できたりすることです。

不動産業者はこの付加価値の対価として仲介手数料をいただくことができるのです。ただ単に売り買いしたから仲介手数料をもらうのではなく、付加価値を生み出したからもらうという倫理観を持っている人のことをプロというわけです。

ですから、どんなに不動産の知識に詳しくても、営業トークがうまくても、お客さんによりよい結果を出さないどころか、悪い結果を出すような人はプロではありません。

思考停止をして上司に言われるがまま、お客さんに悪い結果を与える物件を売らないように、一人一人が倫理観をもってプロの不動産業者として振る舞っていかなくてはならないのです*。

プロかアマかを決めるのは倫理観

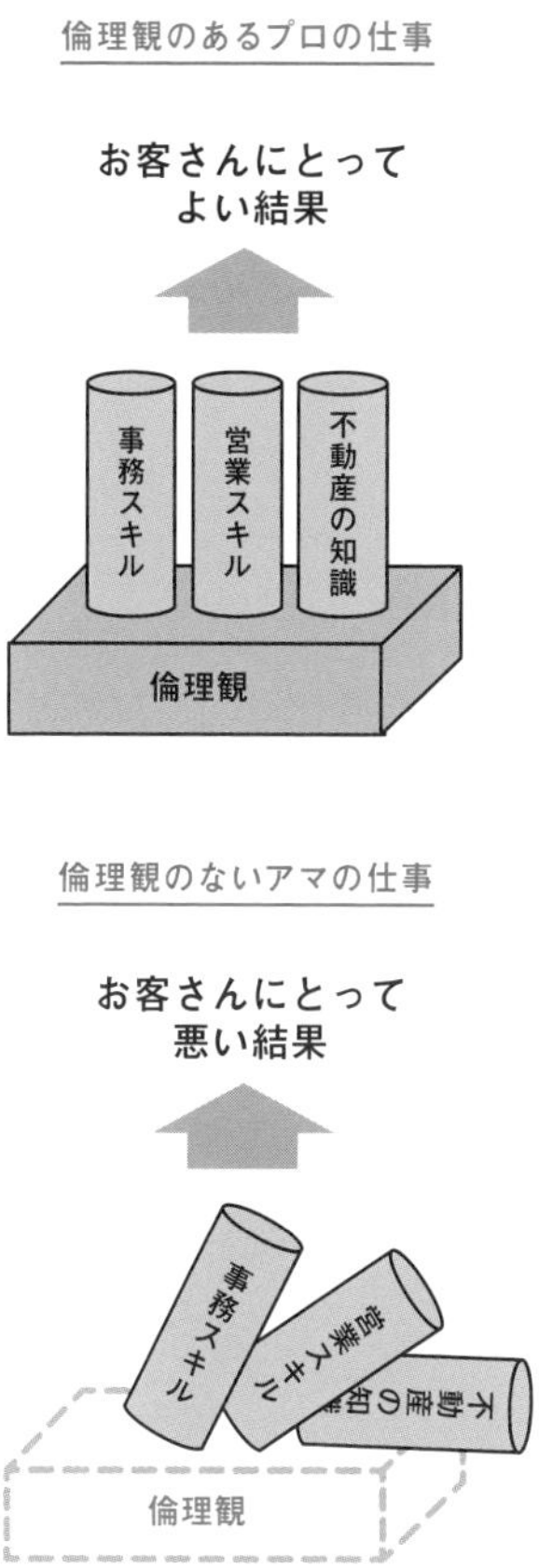

＊脚注
2018年に不動産業界に激震を走らせた「スルガショック」はこうしたプロ意識のない人たちによって引き起こされたまさに人災です。スルガショックとは、女性専用シェアハウス（商品名「かぼちゃの馬車」）を販売していた不動産業者とスルガ銀行の銀行員が結託し、私文書偽造などの悪質行為を行った事件です。彼らは二重契約書を作成したり、エビデンス（証跡書類）を改ざんしたりすることで、本来であれば担保評価割れで融資がつかないような物件をお客さんに売りさばいていました。将来的にお客さんが損をすることが予想される物件を売り、結果として多くのお客さんに多大な損失を与えた事件です。

第1章

売却依頼から始まる不動産売買

1 売却を依頼されたら、最初に行うこと

物件の売買はまず、売主から売却を依頼されるところから始まります。投資物件の場合、大手の不動産業者でもないかぎり、売却を依頼するのは一見のお客さんではなくお付き合いのあるお客さんからです。基本的には自社が管理している賃貸物件のオーナーから売却依頼をいただくことになります。管理を受け持つということは将来的に売主側の元付け業者になることができるということを意味するのです。元付け業者になれるかどうかは、管理業者としての対応次第ですから、日々オーナーから試されていると考えておいてください。

一般住宅などの場合、CMを流している大手の不動産業者に依頼されることが多いです。マイホームを買うと定期的にポスティングされる「この地域で土地・家を探しているお客様がいます」と謳っているチラシを見たことがある人も多いと思います。あれは大手不動産業者でなければ採算の取れない方法ですので、町の小さな不動産業者にはマネするのが難しいでしょう。

なお、お付き合いのある建築業者からの依頼で売却を仲介している業者や、地場の不動産業者の

下請けのような形で売却の仲介している業者など、売主との関係は様々あるかと思いますが、本書では最も一般的であろう、元々からお付き合いのあるお客様やいくつも物件をお持ちの地主さん、不動産投資家などの物件の仲介を中心に記載しています。

さて、売却を依頼されたらまずは、売主にヒアリングを行いましょう。人間関係がすでにできている売主さんと、日々の雑談を交えながらで構いません。ヒアリングでは大まかに聞き出すことと、伝えることがあります。

聞き出すことは、**売却する物件**、**売却したい金額**、**残債の有無とその額**、**いつまでに売却したいのかの希望**、**物件の状態**（自社で管理していない物件の場合）、**売却理由**などです。これらの中には、媒介契約書（仲介の契約書）を作成する際に必要な情報と、売却のための営業活動を行うときに必要な情報が含まれています。

伝えることは、**物件売却までの大まかな流れ**、**相場の金額**、**売却には時間がかかる**ことです。

売却したい金額についてはある程度、売主の意向を確認し、相場から大きく外れていないかどうかをその場で判断します。一般的には売主はできるだけ高い金額で売りたいと考えていますが、不動産は相場とかけ離れた金額では売れないため、その事実をきちんと伝えます。ここで安易に売主に期待をもたせるような高い金額を提示すると、その物件は何年も売れない物件となってしまうので注意してください。

同様にいつまでに売却したいのかについても希望を確認します。急いで売る場合は相場よりも安くなってしまうため、ある程度時間をかけた方がよいということを伝えます。

大切なのは、物件売却までの大まかな流れの説明です。26ページの図のようなレベル感で全体の流れを説明し、売却まではやることがたくさんあるので時間がかかる旨を理解してもらうことが、後々のクレームを減らすことにつながるからです。

加えて、こちらからの依頼も行います。具体的には、次回、来店してもらう際に、売主が保管している物件の関連書類を貸してもらえるようにといった依頼です。

物件の関連書類を借りることができれば、今後の自分自身の事務作業が効率化するためです。

関連書類は、その売却する物件を購入した際の**重要事項説明書**、**売買契約書**、**物件を建築した際の設計図書**、**建築確認書類**、賃貸物件の場合は**入居者との賃貸借契約書**などです。

これらを入手することができれば、重要事項説明書を作成する際に圧倒的な時間短縮が可能となります。特に物件を購入した際の重要事項説明書や建築した際の設計図書はその物件の情報が全て記されているため、とても強力な参考資料となります。

もちろん、売主が物件を購入した当時と今では法令が変わっていたり、周辺の状況が変わっていたりするため、そのまま丸写ししてはいけません。それでも注意すべき点などをあらかじめ確

物件の売却を依頼されたとき

聞き出すこと

売却する物件の詳細……住所、建物名など物件を特定する情報
売却したい金額……売主の希望金額
残債の有無とその金額……物件のローンが残っている場合のみ
いつまでに売却したいか……時間的余裕があるのかどうか
物件の状態……修繕履歴、現状の家賃表、ランニングコスト
売却理由……なぜ売却するのか（買主側に説明するために）

伝えること

大まかな流れの説明……媒介契約後、レインズ登録して〜という流れの説明
相場の金額……物件周辺の売却相場などをもとに伝える
売却までの期間……早くても３か月〜６か月程度かかることを伝える

依頼

関連書類の貸出……重要事項説明書、売買契約書、建築した時の設計図書
建築確認書類、入居者との賃貸借契約書

認することができるため、入手しておいて損はありません。

いずれにせよ、これらの重要書類は媒介契約とともに売買契約が成立し引き渡すまで貸してもらえることが理想です。

売却までの流れ

① 売却依頼（相談）

② 媒介契約

弊社との契約
・営業を行う契約
・仲介手数料の説明

関連書類を持参頂く
・重要事項説明書
・売買契約書
・建築図書類
・建築確認書類
・賃貸借契約書

③ 営業活動

レインズ登録、ポータル登録その他、
買主側とやり取りなどを行う

④ 買付申込

買付申込書を受け売主へ伝達する

⑤ 売買契約

売買契約書を締結する

⑥ 決済

買主からの支払をもって、
所有権を移転し決済終了 → 仲介手数料を頂く

2 物件調査と価格査定

売主から売却を依頼されたら、まずは現地をさっと調査します。ただし詳細な調査の方法については本書の第3章にて説明しますので本節では大まかな内容だけ説明します。また、物件調査に行くタイミングは媒介契約後でも構いません。

物件を調査する目的は2つあります。1つは売り手として商品のアピールポイントを見つけるということ、もう1つは重要事項説明書と契約書を作成するにあたり必要な情報を取得することです。

物件調査に行くときには、事前に物件の地積測量図を取得しておきましょう。また室内を見る場合は売主や管理会社からカギを借りておきます。

現地に着いたら、まずは物件の外観写真を何枚か撮ります。このとき外観に大きな亀裂など修繕が必要な個所がないかチェックします。また道路の広さや間口などをメジャーで測っておきます。

現地調査の目的

商品の アピールポイント を探す	室内がキレイ、エアコンがある、水回りが新しいなど、物件の価格アップにつながる情報や買い手にアピールできることを探す
重要事項説明書に 必要な情報を探す	間口の広さや接道の幅員、境界標の有無、隣地との越境、ガス設備、浄化槽など重要事項説明書に記載すべき情報を探す

地積測量図に記載されている境界標を参考に、本当にその境界標が存在するか確かめて写真を撮っておきます。

室内に入ったら間取りを手早くメモします。また傾きなどがないかなど体感でチェックしておきましょう。

各部屋の状態、水回りなどリフォームが必要かどうか、エアコンをそのまま残してくれるかなど、買い手にアピールできるポイントがないかをチェックしましょう。またプロパンガスなど重要事項説明に必要な情報を収集しておきましょう。

3 適正な価格査定を行う3つの方法

売主との媒介契約にあたり、価格査定を行います。売り出しの価格が、相場価格よりも高ければマーケットから見向きもされず、安ければ売主に対し損失を与えることになります。そのため慎重に価格を決める必要があります。

とはいえ恐れることはありません。誰でもできる簡単な3つの価格査定方法を説明します。

まず、1つめは**「相場価格アプローチ」**です。これは物件の周囲にある類似の物件をもとに価格を査定する方法です。レインズの成約事例を検索し、物件周辺の同規模の物件をリスト化します。具体的には、敷地面積、床面積、間取り、木造やRCなどの構造、築年数、駅からの距離など、できるだけ売却する物件と近しいものを見つけます。また、成約事例がない場合は、現在、売られている物件を参考にします。

2つめは**「積算価格アプローチ」**です。積算価格とは相続税路線価と呼ばれる相続税算出のために国が決めているその土地の平米単価と敷地面積を掛け合わせた金額になります。本来は地形（土地の形）の良し悪しにより、掛け目を入れたりしますが、計算方法が複雑なのであまり難しく考えず、まずは単純に掛け算で算出してください。

また建物については構造ごとの1㎡あたりの建築価額をもとに、延べ床面積をかけ算し、そこから築年数分を割り引いて計算します。

なお、相続税路線価は「全国地価マップ」、建築価額は「国税局ホームページ」を参照してください。

3つめは**「収益還元価格アプローチ」**です。投資物件であれば、家賃収入が発生しますので、この家賃収入をもとに売却価格を決めていくシンプルなやり方で

仕事のワザ

相場価格をリスト化するときにはエクセルに入力するなど無駄な作業は行わないでください。レインズの成約事例一覧を表示して、パソコンのキーボードにある「PrtSc」ボタンを押すことで画像をそのままコピーすることができるからです。あとはワードやエクセル、パワーポイントの画面にペースト（貼り付け）をすると、画面がそのままリストとして使えます。

価格査定3つの方法

相場価格アプローチ	レインズに掲載されている成約事例、現在の販売事例を用いて物件の売買相場を調べる方法
積算価格アプローチ	周辺の相続税路線価から土地値を算出し、築年数と建築価額から建物の価格を算出する方法
収益還元価格アプローチ	投資物件の場合、周辺で売られている物件の投資利回りから逆算して売却価格を算出する方法

➡ **これら3つの方法を組み合わせて合理的な価格査定を行う**

す。周辺の投資物件の利回りを見て、それらと同等の利回りで割り戻すことで物件の売却価格を査定します。例えば、満室時に月40万円の家賃収入がある物件は年間家賃が480万円となるので、利回り10％で売却すると480万円÷10％＝4800万円が売買価格となるイメージです。

これら3つの方法で出したものを参考にしながら、おおよその価格を査定しましょう。売主が希望する売却金額と相場価格とが大きく乖離している場合は、丁寧に説明し納得してもらう必要があります。

相場価格リストのイメージ

今回の対象物件（〇〇アパート　〇〇駅徒歩５分）

価格：2000 万円、土地面積：146㎡、土地＠ 13 万 6000 円／㎡、駅徒歩５分

アパート・マンション成約事例（〇〇駅 過去１年）⇒平米単価 21 ～ 31 万円

価格	土地面積 建物面積	所在地 建物名	沿線駅	交通	用途地域 接道状況 接道1	築年月	成約年月日
16000万円 土地@31万円／㎡	521.00m² 704.52m²	〇〇県〇〇市 ･･･・	〇〇駅	徒歩　4分	一住 一方 南4m	1991年 (平成3年) 7月	平成30年 9月28日
5590万円 土地@21万円／㎡	266.90m² 201.42m²	〇〇県〇〇市 ･･･・	〇〇駅	徒歩　10分	一住 － 北西	2014年 (平成26年) 6月	平成30年11月26日
4670万円 土地@30万円／㎡	155.28m² 157.74m²	〇〇県〇〇市 ･･･・	〇〇駅	徒歩　1分	一低 一方 南6m	2005年 (平成17年)	平成31年 3月30日

戸建成約事例（〇〇駅５分前後 過去１年）⇒平米単価 15 ～ 21 万円

価格	土地面積 建物面積	所在地	沿線駅	交通	間取 用途地域 接道状況 接道1	築年月	成約年月日
2550万円 土地@16万円／㎡	161.62m² 94.77m²	〇〇県〇〇市 ･･･・	〇〇駅	徒歩　3分	4LDK 一低 一方 南西5.6m	2013年 (平成25年) 1月	平成30年 9月 8日
2380万円 土地@21万円／㎡	112.32m² 101.42m²	〇〇県〇〇市 ･･･・	〇〇駅	徒歩　6分	4LDK 一低 一方 西4m	2007年 (平成19年) 3月	平成30年11月 3日
1540万円 土地@15万円／㎡	100.20m² 83.63m²	〇〇県〇〇市 ･･･・	〇〇駅	徒歩　6分	4LDK 一低 一方 東5.5m	1997年 (平成9年) 7月	令和 1年 7月11日

積算価格アプローチ

土地値を調べる

全国地価マップ URL
http://www.chikamap.jp/chikamap/Portal

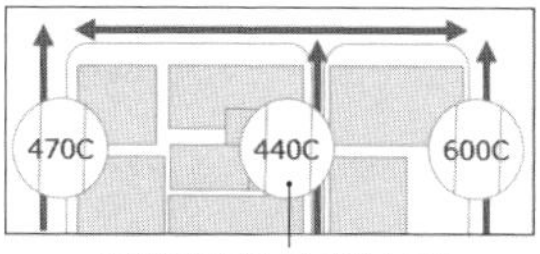

相続路線価44万円をあらわす

土地価格の算出

例：敷地面積が50㎡、路線価44万円

50㎡ × 44万円 = 2,200万円

建物価格を調べる

構造 / 建築年	木造・木骨モルタル	鉄骨鉄筋コンクリート	鉄筋コンクリート	鉄骨
平成13年	157.2	186.1	177.8	136.4
14年	153.6	195.2	180.5	135.0
15年	152.7	187.3	179.5	131.4
16年	152.1	190.1	176.1	130.6
17年	151.9	185.7	171.5	132.8
18年	152.9	170.5	178.6	133.7
19年	153.6	182.5	185.8	135.6

床面積㎡あたり153,600円とわかる

建物価格の算出

例：床面積が100㎡、平成19年築木造（築11年）

100㎡ × 153,600円 = 1,536万円

1,536万円（新築時価格） × $\frac{11年}{22年}$ = 768万円

耐用年数22年
残り11年として
割り引く

土地＋建物価格 ＝ 2,200万円 ＋ 768万円 ＝ 2,968万円

収益還元アプローチ

例：満室時の月家賃収入が40万円（年480万円）の物件の場合

物権周辺の利回りを調査し、年間家賃を割り戻す

年間家賃（満室時）	÷	周辺の物件の利回り	＝	売買価格
480万円	÷	10%	＝	4,800万円

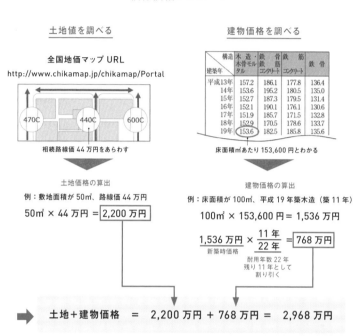

4 3種ある媒介契約（一般、専任、専属）の違い

売主との話し合いで売却する価格が決まったら、媒介契約を結びます。**媒介契約とは、この物件を売却する業務を請け負うという契約**のことです。

不動産業者はこの媒介契約があればこそ、物件の売買を担当することができるわけですから、（不動産業者にとって）非常に重要な契約です。

この媒介契約には、①一般媒介、②専任媒介、③専属専任媒介の3つの形態があります。

1 一般媒介

一般媒介の最も大きな特徴は**「売主は複数の不動産業者に売却依頼をしてよい」**ということです。複数の不動産業者が一斉に売り出すため、自社以外の業者が成約してしまった場合、仲介手数料がもらえなくなってしまうというリスキーな契約です。ただし、**契約期限を自由に設定でき、**

報告義務や不動産流通機構（レインズ）への登録義務がないなど、使い勝手がよいという特徴もあります。この一般媒介については、**売主との信頼関係が強固で他社に依頼しないことがわかっているときや、売主の要望でレインズに登録したくないとき**などに活用します。

2 専任媒介

専任媒介は、媒介契約において最もポピュラーなものです。その特徴は**「自社以外に売却依頼ができない」**ということです。自社以外は売り出しを行えないため、不動産業者としては安心して売却のための営業活動を行うことができます。そのかわり業者にはレインズへの登録義務と2週間に一度の活動の報告義務が課されます。なお、この専任媒介では**売主が自ら買主を見つけてきた場合には、仲介手数料をいただくことができない**という留意点があります。多くの不動産業者では、特別な理由が無ければこの専任媒介契約を売主にお願いしています。

3 専属専任媒介

専属専任媒介（略して専属媒介）は、3つの中で売主に対するしばりが最も厳しい契約です。具体的には**「自社以外に売却依頼ができず、売主自ら買主を見つけることができない」**というように、自社以外の売り出しを完全に締め出す契約です。そのかわりにレインズへの登録義務及び1週間に一度の活動報告が義務付けられています。この契約を交わしておけば、売主自身が買主を見つけてきたとしても仲介手数料をいただけるという安心感はあります。しかし一方で、**報告の頻度が上がり業務工数が増えるため人手の少ない中小の不動産業者ではあまりおすすめできない契約**ともいえます。

なお、専任媒介、専属媒介ともに契約の期間は3か月までとなっており、自動延長を設定することはできません。そのため契約期間の終了が近づいてきたら忘れずに更新の媒介契約書を交わす必要があります。

それらのメリットとデメリットを勘案して、媒介契約を交わしてください。

一般、専任、専属 媒介契約の違い

	他社への依頼	自ら見つける	業務報告	レインズ登録義務	契約の期間	業務量	報酬の確実さ
一般	OK	OK	なし	なし	任意	▶ 少	小
専任	NG	OK	2週間に1回以上※	7営業日以内※	3か月まで	▶ 中	中
専属（専属専任）	NG	NG	1週間に1回以上※	5営業日以内※	3か月まで	▶ 多	大

※定休日を除く

➡ **業務量と報酬の確実さのバランスがよい"専任"を結ぶのが一般的**

5 媒介契約書に入れておくべき委任状項目

それでは実際に媒介契約書を作っていきましょう。とはいっても、難しいものではありません。不動産の契約関連書類について、世の中にはいくつかの定型フォーマットが存在するからです。それらを利用することで、まったくの新人でも簡単に媒介契約書を作ることができるのです。

ほとんどの不動産業者は、全国宅地建物取引業協会（全宅）もしくは、全日本不動産協会（全日）と呼ばれる協会に所属しています。町の不動産屋で見かける、ハトマークは全宅、ウサギマークは全日に所属していることを表しています。

それぞれの協会は媒介契約書も含め不動産関連の契約書類の定型フォーマットを提供しています。

ですので、媒介契約書の作成を命じられた新人は、まずその協会のホームページにアクセスし、媒介契約書の定型フォーマットをダウンロードするところから始めてください。なお、ダウンロードする際にはＩＤやパスワードが必要になりますので、あらかじめ上司に確認しておきましょう。

ダウンロードができたら、ファイルを開いて、ひとつずつ項目を埋めていきます。入力する内容については記載通りに行えば、まず迷うことはないと思います。チェックポイントとしては、〝一般〟、〝専任〟、〝専属〟はあっているか、日付はあっているか、免許番号はあっているか、売主の情報、物件の情報や売却金額はあっているか、といったことです。

そこまでできたら、1か所だけ最も重要な文章を挿入します。それは、媒介業務について**「土地・建物の不動産評価証明書及び関係証明書の取得に関する一切の権限を委任する」**という一文です。

この一文を媒介業務の内容に加えることで、通常であれば委任状が必要となる、不動産評価証明書や関係証明書の発行をこちらで行うことができるからです。

不動産売買の仲介を進めていくにあたり、不動産評価証明書は必須の書類ですが、この一文がないとこれらの書類を取得する際に改めて売主の委任状をもらいに行かなくてはならなくなるため、先回りして媒介契約書に記載しておくのです。

この一文さえあれば、これらの証明書類を発行してもらう際に、役所にこの媒介契約書を見せればOKとなるため大きな手間が省けます。

媒介契約書の作成

この媒介契約は、国土交通省が定めた標準媒介契約約款に基づく契約です。

専　任　媒　介　契　約　書

依頼の内容	■ 売却 ・□ 購入 ・□ 交換

2　**媒介に係る業務**

乙は、1に掲げる義務を履行するとともに、次の業務を行います。

一　乙は、甲に対し、目的物件を売買すべき価額または評価額について意見を述べるときは、その根拠を明らかにして説明を行います。

二　甲が乙に目的物件の購入または取得を依頼した場合にあっては、乙は、甲に対し、目的物件の売買または交換の契約が成立するまでの間に、宅地建物取引士をして、宅地建物取引業法第35条に定める重要事項について、宅地建物取引士が記名押印した書面を交付して説明させます。

三　乙は、目的物件の売買または交換の契約が成立したときは、甲および甲の相手方に対し、遅滞なく、宅地建物取引業法第37条に定める書面を作成し、宅地建物取引士に当該書面に記名押印させた上で、これを交付します。

四　乙は、甲に対し、登記、決済手続等の目的物件の引渡しに係る事務の補助を行います。

五　その他（**甲は乙に対して土地・建物の不動産評価証明書及び関係証明書の取得に関する一切の権限を委任する**）

この一文を挿入することで、売主からの委任状と同じ効力を得ることができる！

チェックポイント

- □ 一般・専任・専属
- □ 日付
- □ 免許番号
- □ 売主（所有者）の情報
- □ 物件の情報
- □ 売却希望金額
- □ 仲介手数料
- □ 有効期間
- □ 委任状となる一文を挿入したか

6 問合せにスムーズに対応するコツと揃えておくべき物

媒介契約書を締結できたら早速、販売活動（営業活動）を開始しましょう。販売活動の第一歩は、**マイソク**（物件情報が載っている資料）の作成からです。一般的なマイソクには、物件名、販売価格、最寄り駅と駅までの分数、物件の所在、土地・建物・設備・間取り等の情報が記載されています。投資物件の場合、それらに加えて満室想定の年間家賃収入及び表面利回り等が記載されています。これらの情報とともに物件の写真や間取図を載せればマイソクとなります。自社のフォーマットがあると思いますのでそれを活用してください。

なお、マイソクを作る際には土地の項目に建蔽率や容積率、接道の幅員や間口、用途地域など調査しなくてはならない項目があるかと思います。もし、売主が購入したときに使った重要事項説明書や、建築図書などを借りられていれば、現時点では、そのまま書き写しておけばよいでしょう。これらの項目については重要事項説明書を作成する際にきちんと調査します。その方法については第3章にて詳しく記載します。

また、物件調査にまだ行っておらずマイソクに載せる写真がない場合、売主に写真をもらっておくか、もしくはグーグルストリートビューを活用して写真を載せておきましょう。

不動産の情報は鮮度が命なので、ここでは細かいことは気にせず、できるだけ速やかにマイソクを完成させることを心がけましょう。誤解を恐れずに言えば、売主が以前購入するときに使用した重要事項説明書とグーグルストリートビューだけあれば、マイソクは完成できるのです。新人でも10～20分で作れてしまうと思います。現地や役所で調査した内容や、写真などは後々差し替えればよしとします。

マイソクに物件の間取りを載せたい場合は、売主から間取図をもらうか、ヒアリングして作成してください。作成する際は専用のソフトを用いるか、エクセルやワード、パワーポイントで図を作成しても構いません。なお、専用のソフトはインターネット上にフリーソフトがありますので「不動産　間取り作成　フリーソフト」などで検索すると出てくると思います。

マイソクと併せて準備しておきたいものは物件の登記事項証明書類です。具体的には法務局が発行する「土地全部事項」「建物全部事項」「地図（公図）」「建物図面（各階平面図）」「土地図面（地積測量図）」です。私道などがあるときは私道の土地全部事項も取得しておきましょう。

また、投資物件の場合は必ず**「レントロール（家賃表）」**を作成しておきます。レントロールとは各部屋の家賃が記載された表のことです。売主から各部屋の賃貸借契約書を借りることができていれば、その中にある、家賃、敷金などの情報をエクセルシートに一覧表としてまとめればOKです。

これらマイソク・登記事項証明書類・レントロールを用意できれば準備万端です。まずはご自身の知り合い、お客さんの中からその物件を購入してくれそうな人に連絡してみましょう。連絡手段はメールや電話などです。また、買取をしている仲のよい不動産業者がいる場合はそれらの業者に電話やメール、FAXにて物件資料を送ります。

それらと同時に、自社サイトやポータルサイトなどに登録します。レインズの登録期限は専任契約で7営業日まで、専属でも5営業日までですので、最初の1週間はできるだけ自社でお客さんを見つけるように努力してみましょう。

しかし、多くの中小不動産業者では努力の甲斐なく、自社だけでお客さんを付けるのは困難です。そのため、広く他社にも協力してもらうためにレインズに登録します。**レインズ登録後は、登録した旨を証明する証明書を忘れずに発行し、PCに保存しておいてください**（発行は登録時のみ可能です。万一、発行を忘れた場合は再登録して発行してください）。

レインズ登録後は、大手・中小様々な不動産業者から問合せの電話が届きます。その多くは、「登記簿やレントロールなどをいただけませんか？」という問合せです。昔ながらの不動産業者の場合、FAXを希望されることもありますが、私の場合は**必ずメールで資料問合せをしてもらい、**

メールに返信する形で登記簿やレントロールを送付するようにしています。

その理由は後々いつどの業者から問合せがあったのか履歴を把握するためです。ＦＡＸでは、紙が貯まってしまい定期的に処分するため、数か月後にはどの業者から問合せがあったかを調べることができなくなります。

メールであれば1年前のものでも参照することができるため、例えば1年後に物件の価格が変わり値下げされた時など、一斉に再度連絡をとることも可能となるなどとても便利だからです。

仕事のワザ

メール対応業務は、時短のためにメールフォルダをカスタマイズして活用してください。具体的には、売買物件ごとにメールフォルダを作成し、問合せメールを受けた際は、その都度そのフォルダに移動させることで、将来的に楽にやり取りできるようになります。以前私が企業の営業改革を行った際に、営業実績がよい営業マンほどメールフォルダをカスタマイズしていることがわかりました。どのようなメールソフト（メールボックス）でも簡単にカスタマイズできるはずです。楽に迅速に正確に業務を行うために細かな改善を心がけましょう。

販売活動(営業活動)ステップ

	活動内容	ポイント
物件情報セットの作成	・マイソク(物件情報資料) ・登記事項証明書類(登記簿類) ・レントロール(家賃表)	・物件情報は鮮度が命 ・できるだけ早く資料を完成させる ・重説、グーグルストリートビューを活用
直接連絡	・よく知っているお客さんに直接連絡する ・仲のよい買取業者に直接連絡する ・ポータルサイトに登録する	・可能なら自社のお客さんを優先する(無理のない程度で)
レインズ登録	・レインズに登録する(写真などがあれば合わせて登録)	・証明書の発行を忘れずに(忘れた場合、再登録すれば発行可能)
問合せ対応	・業者からの問合せに対応する ・興味のあるお客さんからの問合せに対応する	・問合せはFAXよりもメールでもらう ・物件ごとにメールフォルダを分ける

メールフォルダを活用しよう

受信トレイ

終了した案件はフォルダご終了フォルダに移動

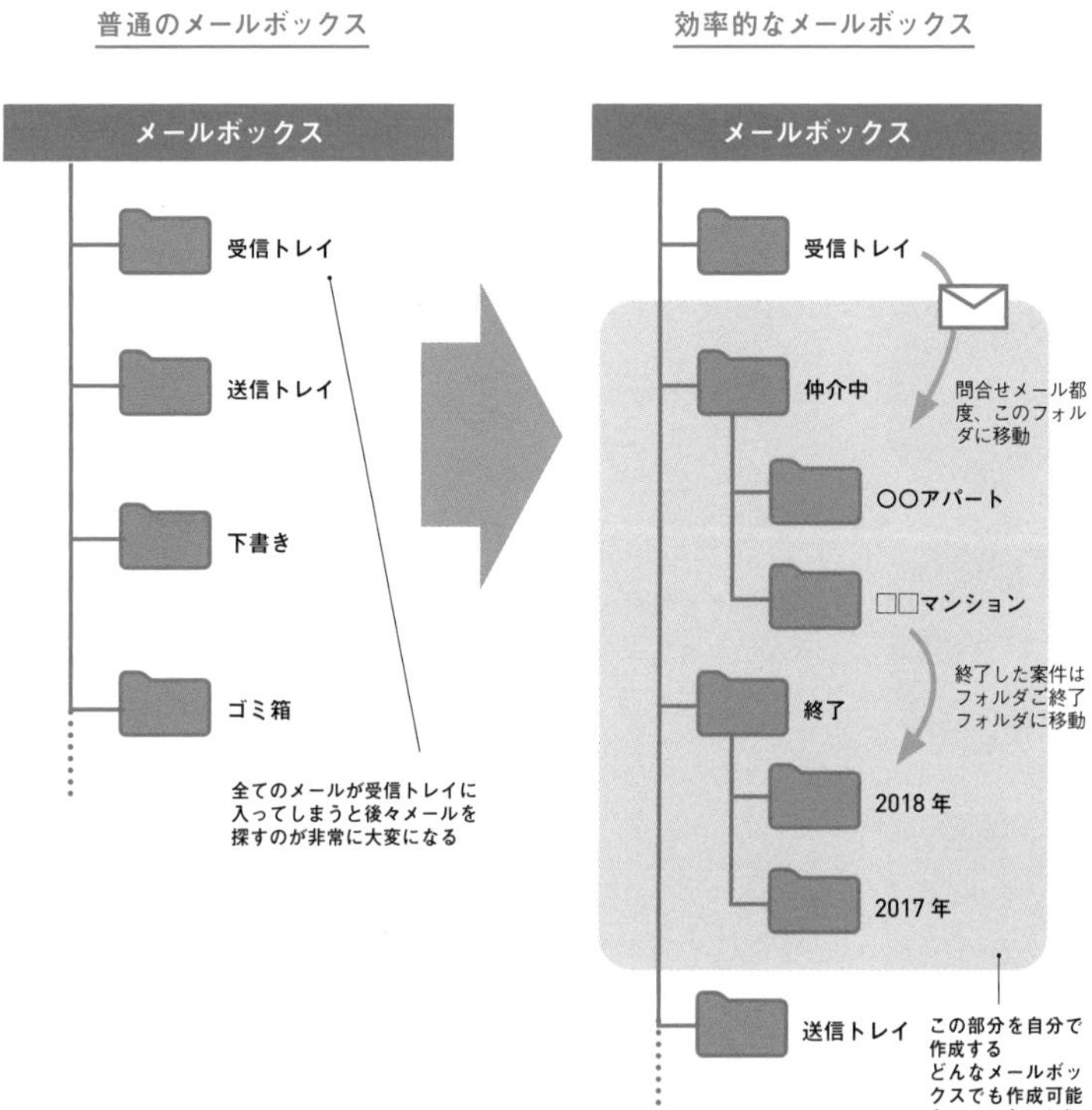
送信トレイ
この部分を自分で作成する
どんなメールボックスでも作成可能なので工夫しよう

受信トレイ
送信トレイ

全てのメールが受信トレイに入ってしまうと後々メールを探すのが非常に大変になる

➡ **将来的にかなりの時短になるので、メールフォルダは必ず活用しよう！**

7 物件種別で異なる使うべきポータルサイトとは

前節にてポータルサイトに登録すると述べましたが、登録する際には1点だけ注意が必要です。それは、物件の種類によって登録するポータルサイトを使い分けるということです。不動産の物件を大別すると、一戸建てや分譲マンションなど購入者自身が居住する目的のものと、一棟アパートや一棟マンション、事務所・店舗・ビルなどのように家賃収入が目的の投資物件に分かれます。そして、居住目的の物件に強いポータルサイトと投資物件に強いポータルサイトはまったく異なります。

ゆえに、居住目的の物件については居住物件に強いポータルサイト、投資物件は投資物件に特化したポータルサイトを活用しなくてはなりません。

居住目的に強いポータルサイト

昨今では多くの人がポータルサイト経由で不動産の物件を探しています。具体的には80％以上の人がインターネットのポータルサイトを用いるとのことです。そのためポータルサイトに掲載しないで物件を紹介するのはかなり厳しいでしょう。

数あるポータルサイトの中で最も人気があるのが、リクルート社が提供している**「SUUMO《スーモ》」**です。後発ながらテレビＣＭなどをバンバン流し、いち早くスマホ対応したことにより知名度とシェアは群を抜いています。正直、ＳＵＵＭＯに載せれば他のポータルサイトに載せる必要はないといえるくらいの集客力を誇ります。ただし、その利用料はかなり高く、中小の不動産業者は手を出しにくいのが難点です。

掲載料がネックの場合は、掲載料が安い**「at home《アットホーム》」**を用いましょう。こちらはＳＵＵＭＯに比べると10分の1くらいの掲載料ですので、中小企業でも無理なく掲載することができるのです。

このＳＵＵＭＯとａｔ ｈｏｍｅの中間に位置するのが**「HOME'S《ホームズ》」**です。ＨＯＭＥ´Ｓの場合は反響の件数に応じて従量課金されるため、まったく反響がなければお金がかからない反面、反響が大きいと広告費が莫大に膨れ上がってしまうという難点があります。

また、集客力でいえば「ＳＵＵＭＯ」よりも数段落ちますので、わざわざ「ＨＯＭＥ´Ｓ」を選ぶ必要はないと思います。

投資物件に特化したポータルサイト

先述したＳＵＵＭＯやａｔ ｈｏｍｅにも投資物件を掲載することはできますが、やはり、投資物件については、専門のポータルサイトに登録する方がよいでしょう。

投資物件に特化したポータルサイトは**「楽待《らくまち》」**と**「健美家《けんびや》」**です。この二大サイトに登録すればそれだけでＯＫです。

どちらのサイトも数件程度であれば、かなり安く掲載できます。プランにもよりますがａｔ ｈｏｍｅの半分以下の金額で掲載できることもあります。

それ以外にも投資物件に特化した様々なサイトがありますが、この二大サイトの集客力はピカイチなのでこの２つ以外には特に登録する必要はありません。

居住用の物件でも投資物件でも、成約するまでの広告費は持ち出しとなります。費用対効果を鑑み、できるだけランニングコストが小さく、集客力があるポータルサイトを選びましょう。

物件種別ごとに選ぶポータルサイト

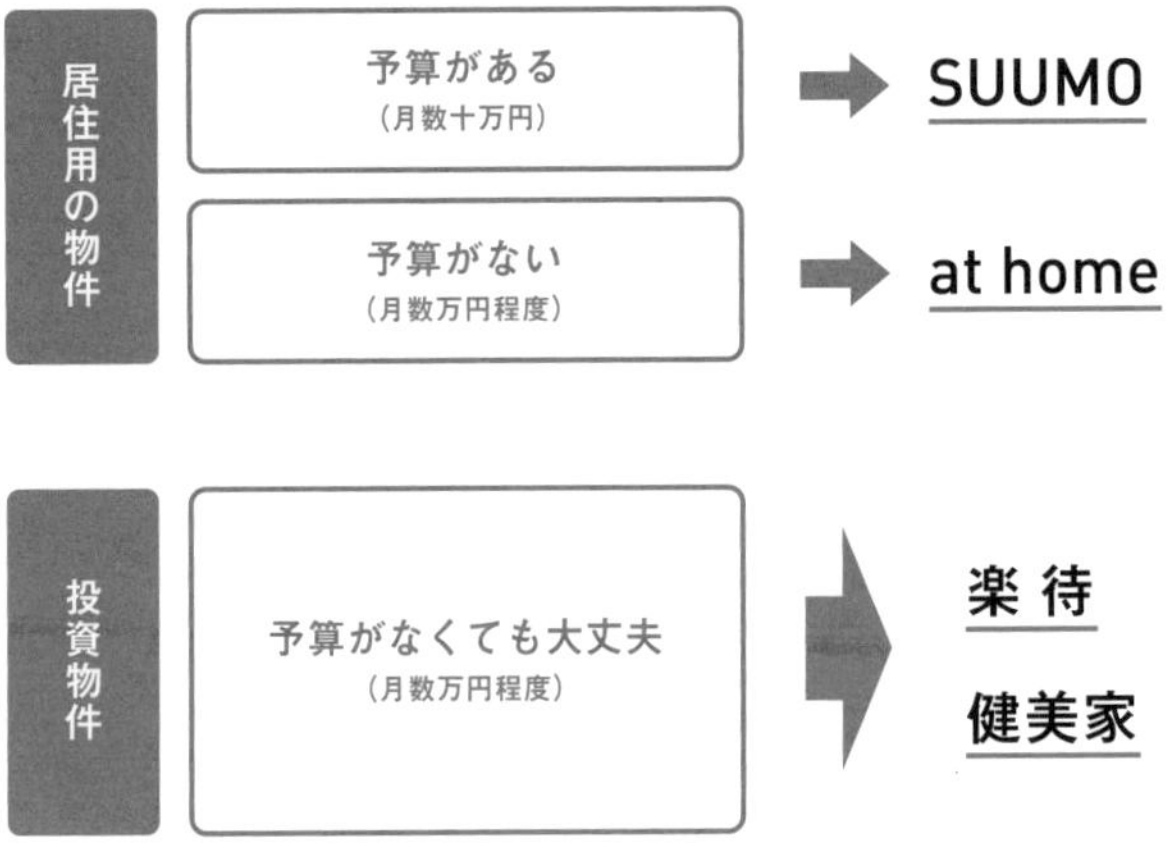

8 活動報告のやり方は売主にあわせる

〝専任〟もしくは〝専属〟の媒介契約を結んだ場合、定期的に売主へ活動報告（業務報告）を行わなくてはなりません。その方法はメール、電話、手紙、口頭などどのような方法でも構いません。

業務効率から考えると、**定型フォーマットを利用したメールでの報告がおすすめ**です。定型フォーマットは全宅、全日の各協会のホームページからダウンロードすることができると思いますが、なければワードなどで作成できます。報告日、対象の物件、レインズ登録情報、活動内容を書く4～5行程度のコメント欄、ポータルサイトなどに広告を掲載した場合は、そのポータルサイト名を記載する欄があれば問題ありません。

行数が少ないため、それほど業務負荷はかからないと思います。そのフォーマット内に記載できない場合は、メール本文に追加で記載すれば問題ありません。

また、売主がメールを使えない場合は、ＦＡＸや電話、手紙など相手の求める条件に合わせて

業務報告書　定型フォーマットイメージ

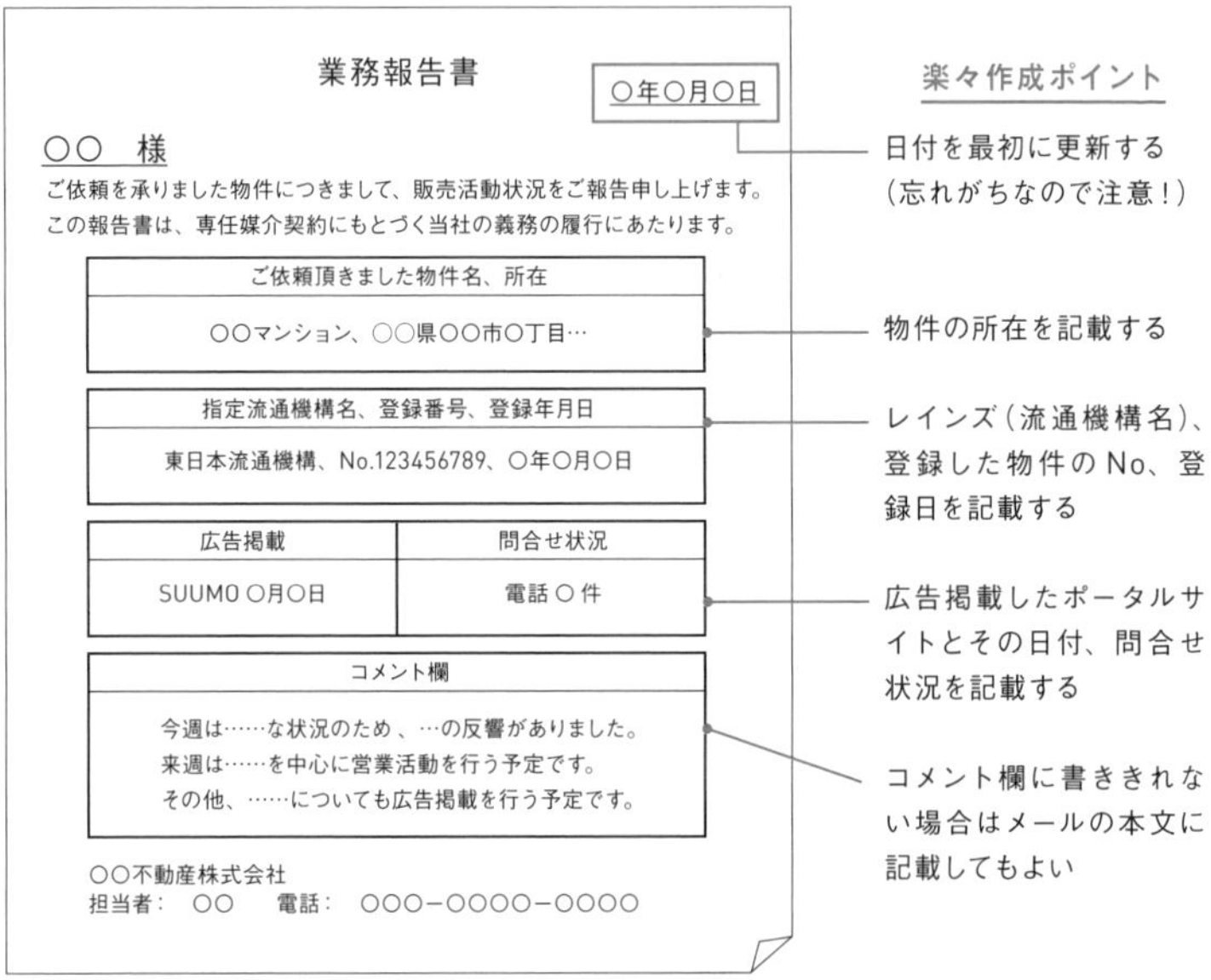
業務報告書
○年○月○日
○○　様
ご依頼を承りました物件につきまして、販売活動状況をご報告申し上げます。
この報告書は、専任媒介契約にもとづく当社の義務の履行にあたります。
ご依頼頂きました物件名、所在
○○マンション、○○県○○市○丁目…
指定流通機構名、登録番号、登録年月日
東日本流通機構、No.123456789、○年○月○日
広告掲載
SUUMO ○月○日
問合せ状況
電話 ○ 件
コメント欄
今週は……な状況のため、…の反響がありました。
来週は……を中心に営業活動を行う予定です。
その他、……についても広告掲載を行う予定です。
○○不動産株式会社
担当者：　○○　　電話：　○○○−○○○○−○○○○
楽々作成ポイント
日付を最初に更新する（忘れがちなので注意！）
物件の所在を記載する
レインズ（流通機構名）、登録した物件のNo、登録日を記載する
広告掲載したポータルサイトとその日付、問合せ状況を記載する
コメント欄に書ききれない場合はメールの本文に記載してもよい

対応することが大切です。

ただし、報告のために売主の自宅まで行き口頭で伝えるのはできるだけ避けるようにしましょう。営業マンの時間は無限ではありませんので、どうしても口頭での報告がよいと言われた場合は、店頭に来ていただくようにお願いしましょう。

第 2 章

購入希望から始まる不動産売買

1 お客さんにぴったりのよい売買物件を見つけるためには

前章は売主から売却の依頼を受けて行う仕事について記述しました。本章は主に買主から購入を依頼されて行う仕事について説明します。

売却を依頼してくる売主の場合は媒介契約を結びますが、一般的に購入を検討している買主との間に媒介契約を結ぶことは稀です。というのも買主（候補）のお客さんの心は移ろいやすく、1～2度物件を見て購入できなければ、購入をあきらめたり、複数の不動産屋に出向いたりするので、「必ず自社で購入物件を探す」という媒介契約は結んでもらえないからです。

そのため、**買主側の不動産業者は買主（候補）となるお客さんの心をしっかりとつかんで離さないことが大切**になってきます。そして、お客さんに離れていかれないためには、仕事において、誠実に迅速に正確に振る舞わなくてはなりません。

お金がなさそうなお客さんだからと適当にあしらったり、依頼されたことを忘れて報告が遅くなったり、その内容が間違っていたりすれば、すぐにお客さんは離れていきます。

もちろんまったく買う気のないお客さんに時間を割くのは意味がありませんが、不動産業者を訪れている時点で、すでに何らか〝購入したい理由＝願望〟を持っているわけですから、その願望を把握するのが最初のステップとなります。

〝購入したい理由＝願望〟は人により様々ですが、突き詰めていくと2つに分けることができます。1つは**〝より快適に生活したい〟**という願望、もう1つは**〝お金を儲けたい（損したくない）〟**という願望です。

一戸建てや区分マンションなどの居住用物件の場合は、〝より快適に生活したい〟がメインの願望であり、〝お金を儲けたい（損したくない）〟がサブの願望となります。また投資物件については〝お金を儲けたい（損したくない）〟が唯一の願望となります。

お客さんが漠然と抱いている願望の要素を分解し、整理して、この2つの願望のどちらをより重視しているのか、その中でどの要素を重視しているのか、を理解すればおすすめすべき物件が絞り込めてきます。

例えば、居住用の物件では、女性は設備などの生活のしやすさを重視することが多く、男性は将来的に値下がりしないかなどを気にする傾向があります（もちろん女性も値下がりについて気にはしますが……）。

その両方をバランスよく満たすために、お客さんが（その時点で）求めている条件だけでなく、多くの物件を提案することが大切です。

お客さんにぴったりの物件を見つけるためには、上記のことを意識しながら大量に物件を提示するのがよいでしょう。10件、20件、さらには100件、200件と圧倒的に多数の資料を見てもらい、お客さんの感想の中にちりばめられている願望を拾い上げてください。

それはお客さんの願望を把握するのと同時に、「理想的な超お買い得な物件なんて、この世に存在しない」という現実を知らしめる効果もあります。

特に、物件探し初期のお客さんが陥りやすいのが、どこかに自分が理想とする超お買い得な物件が存在するのでは？という幻想です。

そもそも買主（候補）のお客さんが色々な不動産業者を転々とするのは、存在するはずのない青い鳥＝超お買い得物件が、この世のどこかにあるのでは？という幻想を抱いているからです。そういった甘い幻想は、最初に打ち砕くようにしましょう。

仮にその程度で「買いたい」という気持ちが萎えてしまうようでは、自宅にせよ投資物件にせよ、本当によい物件を購入することはできません。不動産は極めて高額ですから、「ろくでもない物件を購入するくらいなら買わない方がマシだ」とアドバイスを差し上げて下さい。というのも**厳しい現実を突きつけられても奮起する人だけが、よい物件を購入できる**からです。

そして、本気になって探すことを誓ってもらいましょう。そうすればもうその人はお客さんでな

よい物件を探すための人間関係構築！

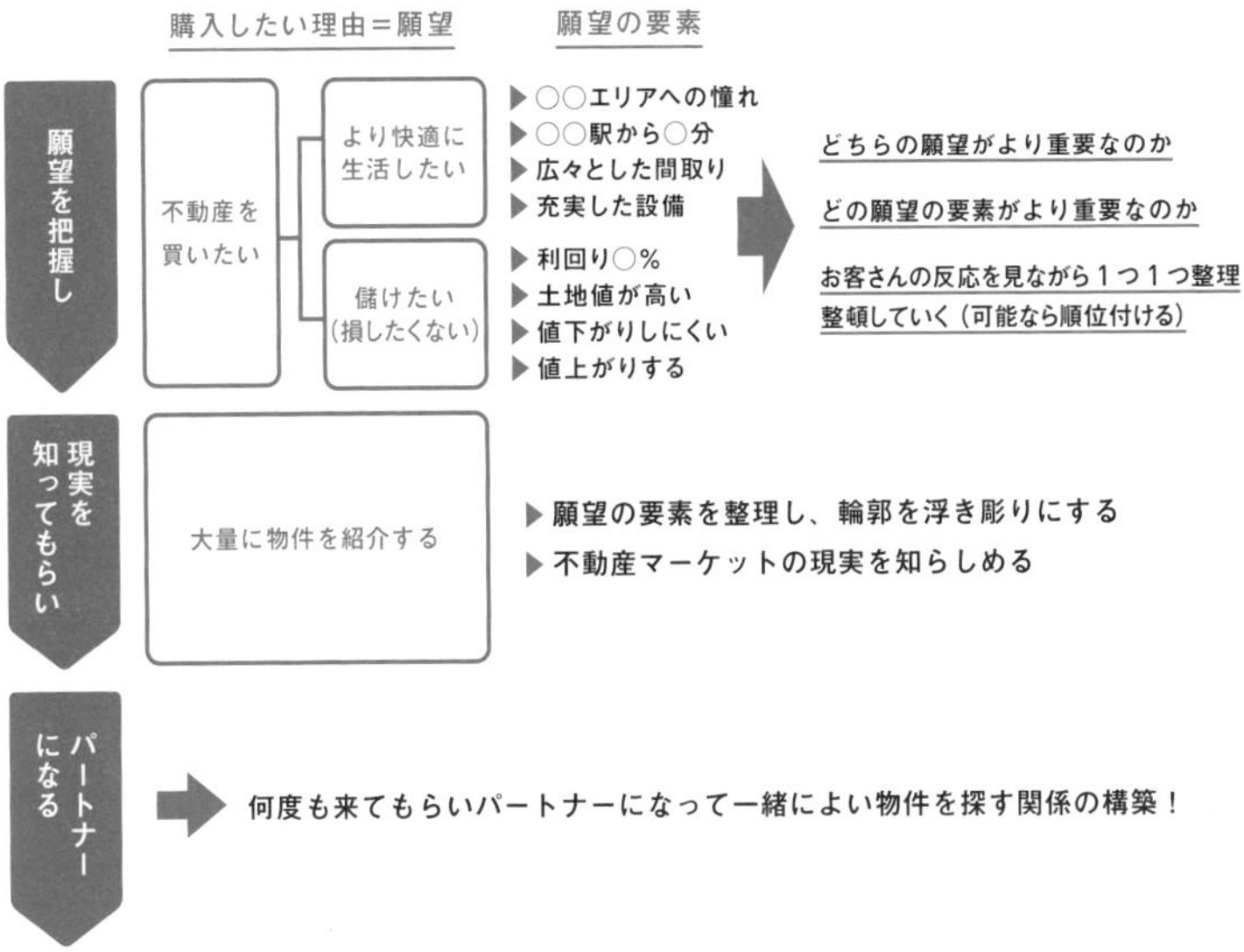

く、よい物件を一緒に探すパートナーとなります。1回きりの訪問ではなく、2回、3回と繰り返し来店してもらうことができるようになること間違いなしです。

　お客さんにぴったりの居住用の物件、お客さんが儲かる投資物件を見つけるためには、何度も通ってもらい、一緒に努力してもらう必要があります。そのための人間関係を最初に築くことが大切なのです。

2 雑談を交わしながらニーズを把握する

お客さんのニーズを把握する大切な手段の1つが雑談です。雑談というと単なる世間話というようにとらえられるかもしれませんが、その中には相手の**価値観**が含まれています。

話下手な人は、どこから雑談をすればよいのか、わからないと思います。かくいう私自身もあまり雑談が得意なタイプではないため、最初のころはとても困りました。

そこで、雑談が得意な営業マンを観察して彼らの中に一定の法則があることを見つけ出し、それを真似することにしたのです。

雑談が弾むポイント

最も簡単な雑談のスタート方法は、最初に**〝視覚情報〟**から入るということです。例えば、男性のお客さんで、体が大きな人や日焼けしている人には「何かスポーツをされているのですか？」と聞いてみたり、おしゃれなジャケットを着ている人には「そのジャケットおしゃれですけど、どちらで購入されたのですか？」などと聞いてみたりするのです。

もし相手の興味のある内容だとしたらそこから自然に雑談がスタートするはずです。例えば、週末に仲間とフットサルをするということがわかれば、「週末の雨が降ったら、物件を探しに来てくださいね」というように、相手が求めている提案ができたりします。

もちろん、特にスポーツをしていなかったり、特におしゃれに気をかけたりしていない場合もありますが、そのときはすぐに別の話題に切り替えれば問題ありません。なお、営業マンが男性の場合、女性のお客さんについては〝視覚情報〟からスタートしない方が無難です。

また、**〝誰もが必ず持っている情報〟**を聞くのもおすすめです。具体的には、今どこに住んでいるのか、出身地、故郷、これまで住んでいたところを聞くのです。どんな人でも、必ず答えられる質問をし、お客さんとの共通点を探します。例えば出身地が同郷だったりすると思わず話が盛り上がりますし、なにより不動産を探すときにはそのエリアに〝ご縁〟があることが大切ですから、おすすめするエリアの情報をそれとなく把握することができるからです。

また、雑談と本題を絡めた内容としては、**〝仕事の話〟**を聞くというのもアリです。不動産の購入を希望しているわけですから、ある程度、安定的な職に就いていることが想定されますが、具体的にはどのような職業なのか、会社なのか、さらにどのような部署で何をやっているのかを聞いてみます。ただし、ここで大切なのは、お客さんを品定めするような雰囲気にならないことです。

あくまで仕事の内容に興味をもち、それを知りたいという思いで話を聞いてください。そうすれば雑談ベースで本題にも必要なことをたくさん聞くことができるでしょう。例えば、事業部の部長であることを誇りに思っている方であれば、「部下が15人くらいいて、とても大きなプロジェクトをやったことがあるよ」等、仕事の内容を事細かに教えてくれます。

プロジェクトの話自体と不動産の購入について、直接の関係はありませんが、銀行に融資を打診するときに、銀行の担当者にお客さんの仕事について事細かに説明することができればより信頼度がアップするので、聞いておいて損はない話なのです。

また、仕事がとてもハードで毎日夜遅くまで働いているということを雑談の中で聞いたら、そのお客さんへの連絡は電話ではなく、メールやＬＩＮＥなど相手が自由な時間に返信ができる方法を選択するなど、相手に応じた対応を考える情報となります。

全てにおいて言えることですが、**お客さんと雑談をするというのは、相手の価値観や置かれている状況を理解し、その相手にぴったりな対応（接客方法）と、ぴったりな物件を考えるための情報を引き出すこと**なのです。

たかが雑談、されど雑談、追求しだすとキリがありませんが、ぜひ雑談力を磨いて相手の求め

雑談のスタートアップ

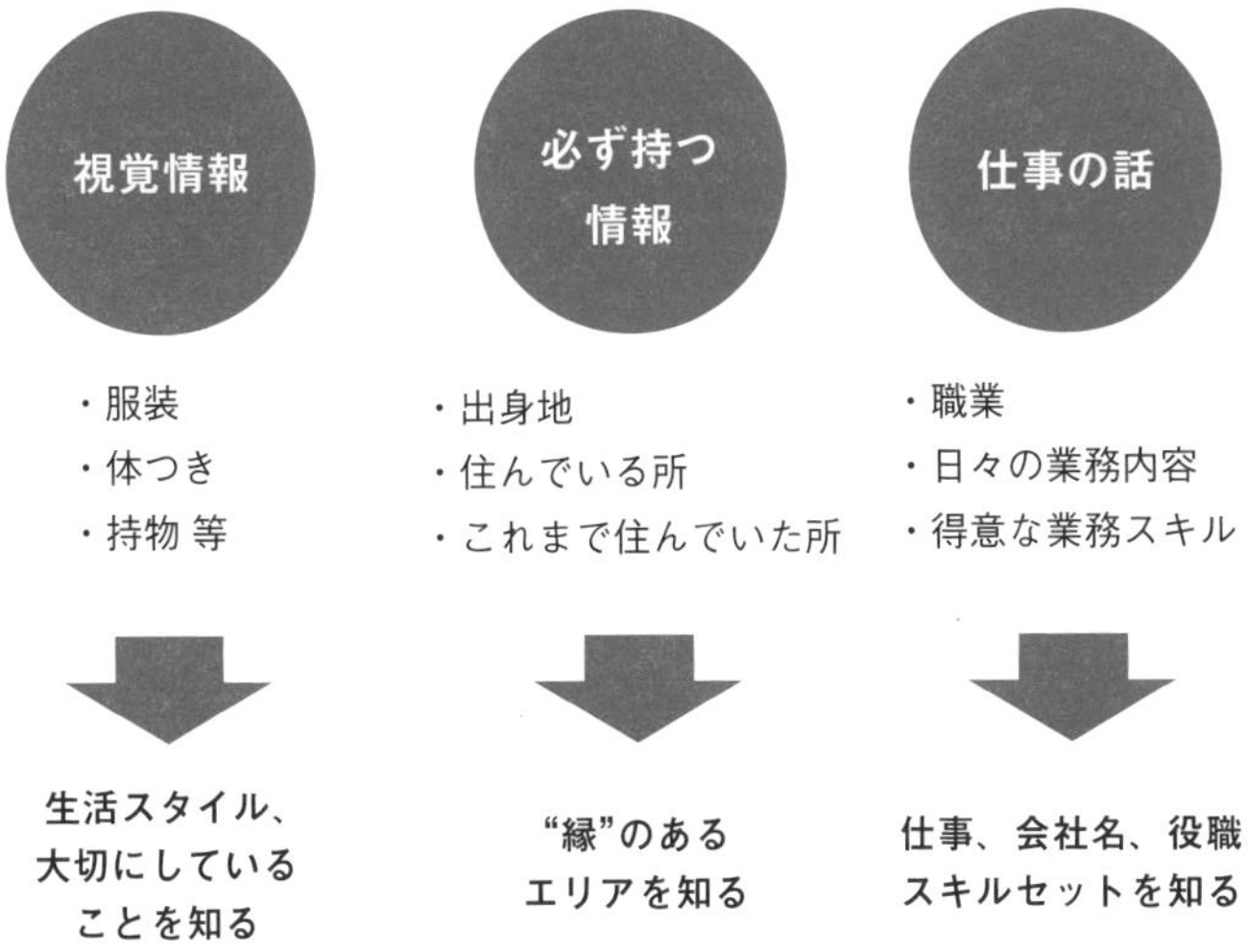

る提案をできるようになってください。

雑談を好まないお客さんには

ただし、雑談をあまり好まないタイプや、ある程度仲よくなるまでは雑談をしないタイプなど雑談と相性が悪いタイプには注意が必要です。

私の経験上、雑談を好むタイプは、**お祭り大好きなタイプ**と**献身的なタイプ**の人です。お祭り大好きな人はノリがよく初対面でもわりと話が盛り上がります。営業マンに多いタイプで、男性の方が多いです。献身的なタイプは、話を振ると一生懸命に答えてくれます。女性に多いです。このタイプの組み合わせの方々がご夫婦で来られた場合は、わりと話が盛り上がります。

逆に、雑談を好まないタイプは、**王様タイプ**と**理論家タイプ**です。王様タイプはとにかく最初は腕を組んでドカッと座ります。このタイプはある程度仲よくなるまで心を開いてくれませんので、雑談は少なめにして多数の物件を見てもらうようにした方がうまくいきます。

理論家タイプは頭の中に、物件の条件に関する仮説を持っていることがほとんどですので、まずは、その仮説に合う物件を見せられるようにしましょう。このタイプも雑談よりは、物件の詳細について事細かに深掘りすることに時間を使うことをおすすめします。ただし、理論家タイプのお客さんが考えている仮説があまりにも不動産マーケットの現実と乖離している場合は、ある程度の数を見せ現実を伝えましょう。

雑談はニーズを引き出す強力な手段ですが、一方で相手にとって興味のない雑談は苦痛以外の何物でもありません。雑談をしながらも相手が退屈そうにしていないか表情をよく読んで、相手のタイプに合わせて対応してください。

雑談を好むタイプ・好まないタイプの特徴と接し方

		特徴	接し方
雑談を好むタイプ	お祭り大好きタイプ	▶話好き ▶盛り上がる ▶多動的、拙速 ▶飽きっぽい	▶雑談なんでもOK ▶盛り上がり過ぎて話が脱線しないよう注意 ▶次々に話題を連射して飽きさせない
	献身的タイプ	▶おとなしめ ▶一生懸命、努力家 ▶期待に応えようとする ▶優柔不断	▶こちらから相手に話を振る ▶希望の物件について細かく質問すると答えてくれる
雑談を好まないタイプ	王様タイプ	▶最初は心を開かない ▶本題だけを求める ▶口数が少なめ ▶愛想はない	▶最初は雑談よりも、本題を中心に話す ▶結論から先に伝え、理由は補足程度に簡潔に伝える
	理論家タイプ	▶頭の中に仮説がある ▶仮説に合わないと理解できなくなる ▶理屈っぽく細かい	▶持っている仮説について聞き出す質問をする ▶物件や法令等、相手の知らない情報を仔細に伝える

3 物件の悪いところも付加価値をつけて伝える

物件のことを事細かに伝えていくにあたり、よいところだけではなく、必ず悪いところをも伝えるようにしましょう。

セールストークではよい点ばかりを強調しがちですが、360度どこから見てもよい物件なんてこの世に存在しません。**必ず悪い点、問題点があるはずですから、それをあえて伝える**のです。

例えば立地に関して、駅までの距離が遠い、坂道が多い、海抜が低い、地震に弱い、道路がうるさい、道路が狭いなど、何らかの問題があるはずです。

それらの問題点のうち、購入する目的を達成できないような欠点があれば、必ず伝達しなくてはなりません。

悪いところを伝えることで、あなたの言葉は〝よいところだけを伝えるセールストーク〟から、一段上の〝正しい事実伝達〟にレベルアップします。

さらに、**欠点・問題点の対処法があるならそれを同時に伝えます。**

例えば、駅までの距離は遠いがこのエリアは基本的に自動車で移動するため駐車場を確保すれば大丈夫などと、問題の分析と対処法を同時に伝えられれば上出来です。

物件の欠点という事実をありのままに伝えることは大切ですが、それだけでは単なる情報伝達にすぎません。「悪いところ」という事実に分析と解決策を加えることで、それは〝高付加価値情報〟へと昇華されるのです。

不動産営業とは、顧客の持つ課題へのソリューションとして、不動産という高額な物件の購入を提案するわけですから、右から左に事実を伝えるだけでなく、その情報に付加価値を加えて情報の価値を高めて提供する必要があるのです。

例えば、投資物件の場合、そのエリアの家賃相場や将来の人口減少予測を伝えるとともに、どのターゲット層であれば将来的にも満室にしやすいかなどの分析を伝えます。

レインズに載っている物件の情報はどの業者が閲覧しても同じですが、それをもとに問題点を分析し、考察や解決策を加えた情報は、その不動産業者独自の高付加価値情報となります。他の業者では手に入らない差別化されたサービスとなるわけです。

単なるセールストークを脱却し、事実伝達、さらには高付加価値情報を提供できるように伝える内容のレベルアップを心がけましょう。

セールストークを脱却し高付加価値情報を提供する

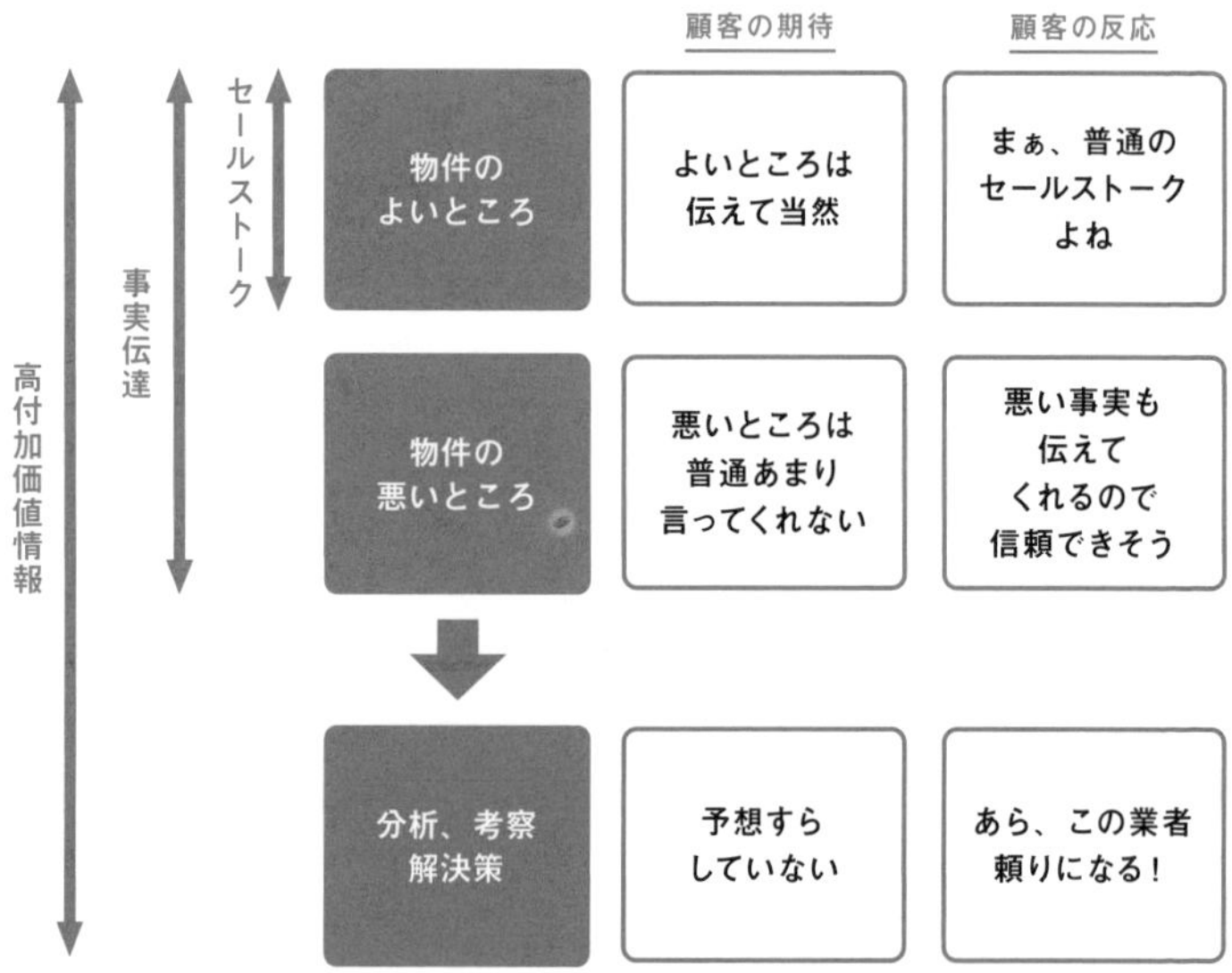

➡ 単なるセールストーク、事実伝達を脱却し、高付加価値情報の提供者になろう

4 お客さんと現地調査に行こう

特に投資物件にいえることですが、お客さんといくつもの物件資料を見たら、一緒に現地調査に行きましょう。投資物件の場合、居住者がいるため内見することはできませんが、外観や街の様子を見るだけでも十分価値があります。

なにより、行き帰りの移動中に雑談をすることができ、相手のニーズをより把握できたり、仲よくなれたりするため、現地調査はとても大切なのです。

例え、その物件を購入できなかったとしても、一緒に現地調査をしたという経験は不動産を探すパートナーとしてとても大切な時間を共有した証となります。

現地調査へはできれば自動車で行くのが望ましいです。自動車の中であれば気兼ねなく雑談できますし、運転席と助手席に横並びに座ることで、心を開きやすくなる効果があるからです。

もちろん、都心部では電車で移動しなくてはならないこともありますので、絶対に自動車でなくてはならないとまではいいませんが、可能な限り自動車をおすすめします。

お客さんと現地調査に行く２つの目的

現地調査に行くなら、自動車＞電車

**雑談時間の確保ができるため、
自動車で移動する方が望ましい**

都心部など駐車場代が高額で維持費用が賄えない場合は、カーシェアなどを申し込んでおくとよいでしょう。私はオフィスの近くにある2社のカーシェアそれぞれの会員となっています。

法人会員になり社員が自動車を借りられるようにしておけばよいでしょう。カーシェアは直前に予約でき、10分後からなど、すぐに使えるため社用車を何台も保有するより費用対効果がよいかもしれません。

5 買付申込みは1分1秒を争うこともある

不動産の物件資料及び現地を見て、お客さんが購入を希望したら「買付申込み」を書いてもらいましょう。この**「買付申込み」で大切なのは「素早さ」**です。

とくに投資物件の買付申込みでは1分1秒を争うこともあります。ごく稀ですが、相場に比べて、かなり割安な物件が売りに出されているときがあります。エリアも駅からの距離も、土地の広さも、前面道路の広さも、建物の造りもしっかりしているのに、なぜか相場よりも2、3割安いというお買い得物件というやつです（あくまで、ごくごく稀にですが）。

こういったお買い得物件は、足が速いです。マーケットに出てきた瞬間に、買付が殺到し、1～2日でマーケットから消失します。

当然、購入できる人は限られており、相当、条件のよい人でなければ買付は通らないと思ってください。例えば、相場であれば1億円くらいのものが7000万円くらいで売りに出るイメージです。かなりお得なので、現金を持っている人が、速攻で「融資特約なし」で買付てしまいます。

一般の投資家だけでなく、プロの不動産業者も同様に激安なお買い得物件を購入するので、プロとの競争となり必然的に素人は締め出されるというのが現状です（プロの場合は、マーケットに出る前に購入してしまうことも多々あります）。

かつて、世田谷で明らかに激安な物件が出た時のことです。正直これはすごい掘り出し物だと思い、懇意にしているお客さんに連絡したところ、全てのお客さんが買付を入れてきました。後々、売主側の業者（元付け業者）に買付の状況を確認したところ、朝10時の時点ですでに買付が5件入り、12時には20件、16時には50件を超える買付連絡が届いた上に、最終的には１００万円、２００万円と売買価格に上乗せをするという買付まで現れたため、値付けを間違えたことに気づき、あわてて売り出しを取り下げたとのことです。

このときは売主側の業者が値段を安くつけすぎたことに気づき、すぐに売り出しをやめてしまったため、この物件は誰も購入できませんでしたが、もしあの金額で購入できたとしたら本当にお買い得でした。

また、あるときは、お買い得物件が出て数時間のうちに買付が4件入り、買い逃してしまったこともあります。そのときは、夜遅い時間に物件を見たため夜中のうちに買付をＦＡＸで送信していたのですが、翌日、売主側の業者から5時間くらいの間に、４枚買付のＦＡＸが届いており、弊社の買付は3番手だったことを告げられました。

つまり、弊社の買付よりもたった5時間だけ早くにFAXできていれば1番手が取れたわけですから、タッチの差で遅れてしまったということになります。

ほとんどの不動産はなかなか売れないのですが、ごく少数のお買い得物件には圧倒的多数の買付が申し込まれます。

そのため、投資物件はもちろんのこと、居住用の物件であってもお買い得だと判明したらすぐにでも買付を入れなくてはいけないのです。

なお、**そのとき、お客さんにはちゃんと「買付は契約ではないこと」と「ペナルティなしにやめられること」**を説明しなくてはなりません。

不動産投資に慣れている人であれば何の恐怖心もなく「とりあえず買付を出す」ことができます。しかし、不動産投資の初心者や居住用のマイホームを購入するお客さんは「とりあえず買付を出す」という行為に恐怖を感じるからです。

また、業者としても売らんがために「買付を出させることでキャンセルしづらくする」みたいな心理テクニックを使う場合がありますが、まったく感心できません。ろくな物件を買うくらいなら、買わない方がマシなのが不動産ですから、とりあえず買付を出し、一度、クールダウンするようにお客さんにアドバイスしましょう。

なお、買付を断る場合の最も大きな理由は、「融資が通らなかった」というものです。本当かウソかはわかりませんが、融資が通らなかったといわれれば、売主側の業者も売主も、仕方ないので別の買手を探そうとなります。

なので、お買い得な物件の場合は、とりあえず買付を出すことを優先しましょう。買付を出すことに不安を感じるお客さんには、きちんとペナルティなく買付を取り下げられますから、安心して出してくださいと伝えましょう。

ちなみに、少数派ですが逆のパターンもあります。買付はペナルティなしに取り下げられるからといって、現地確認もせず、むやみやたらと買付を乱発するお客さんもいるのです。

例え取り下げることができるとしても買付は立派な意思表明なわけですから、軽々しく大量に出し、大量に撤回するお客さんについては、買付は1つ1つ吟味して出すように促してください。担当者としてのあなたと不動産業者の名前で出した買付を取り下げるのですから、あまり大量の取り下げを繰り返していると、担当としてのあなたと不動産業者の信用が落ちるからです。

買付はとても大切なのですが、重く考えすぎず、軽く扱わずバランスよく素早く出していきましょう。

なお、買付申込みのための書類である買付証明書に決まったフォーマットはありません。各社まちまちで自由に採用しています。

買付証明書

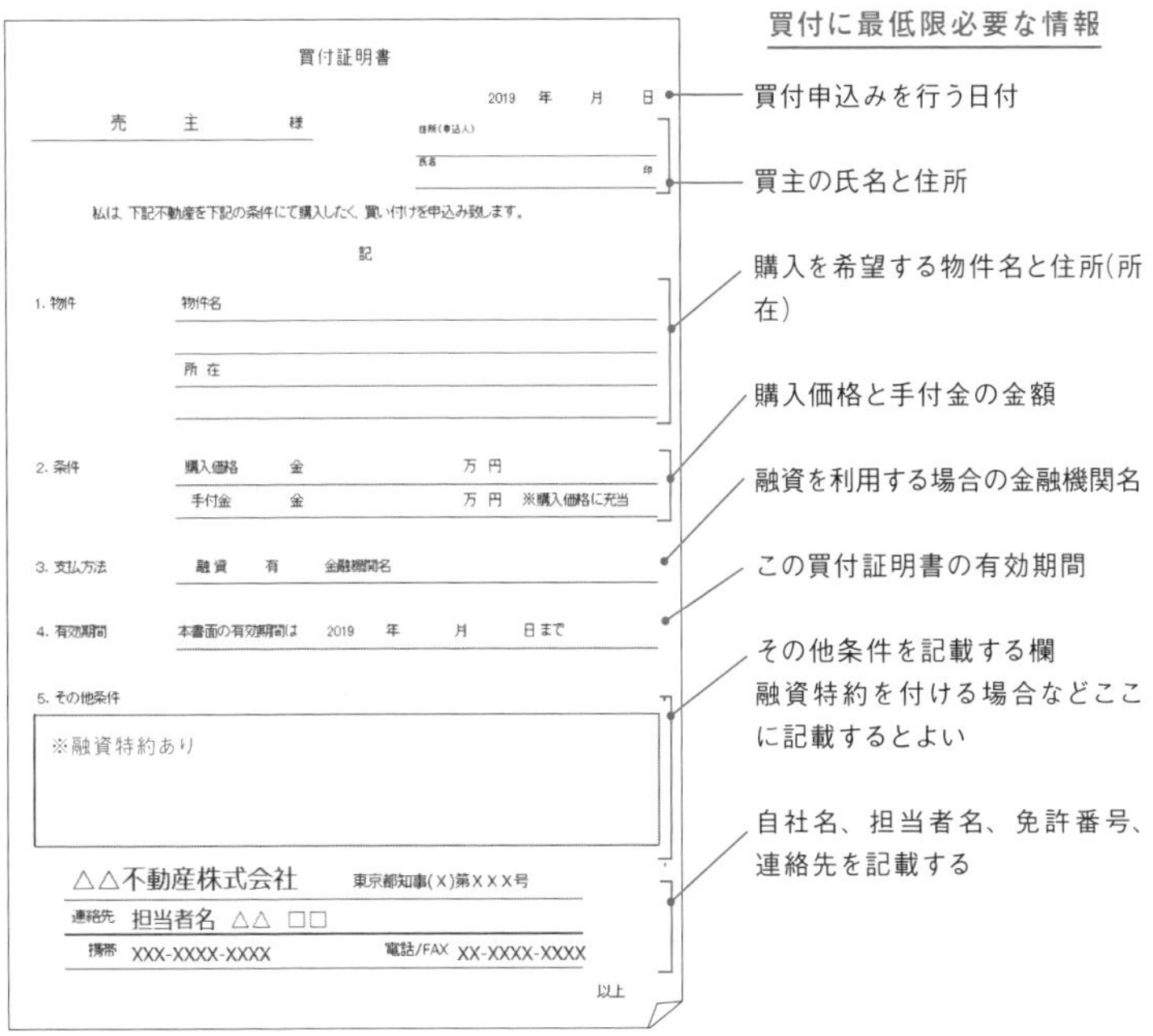

2019 年 月 日
売 主 様
住所（申込人）
氏名
印
私は、下記不動産を下記の条件にて購入したく、買い付けを申込み致します。
記
1. 物件
物件名
所 在
2. 条件
購入価格 金 万 円
手付金 金 万 円 ※購入価格に充当
3. 支払方法
融 資 有 金融機関名
4. 有効期間
本書面の有効期間は 2019 年 月 日まで
5. その他条件
※融資特約あり
△△不動産株式会社 東京都知事(X)第XXX号
連絡先 担当者名 △△ □□
携帯 XXX-XXXX-XXXX 電話/FAX XX-XXXX-XXXX
以上

どのような形式であれ最低限「日付」「買主の氏名と住所」「購入希望の物件名と住所」「手付金額と購入希望金額」「書面の有効期限」「融資特約の有無」「業者名、免許番号、担当者、連絡先」情報が記載されていれば問題ありません。

　買付の送付先が大手業者の場合は、個人情報の取り扱い書面や、機密保持契約の書面などを求められることもありますので、その場合は相手業者のフォームをもらって記載すれば問題ありません。

6 融資打診から始める資金計画

1 お客さんごとに使える金融機関を把握しておく

買付申込の次に行うのが、**融資打診**です。融資打診とは、金融機関に物件購入資金を借りるための仮審査を行ってもらうということです。

この融資打診については自社と提携している「提携ローン」と「非提携ローン」があります。提携ローンについては、自社が販売する区分所有などによく利用されています。

しかし、多くの中小・零細企業の場合は提携する金融機関がないため、非提携ローンを用いることになります。非提携ローンとは要するに普通のローンということです。非提携ローンの特徴は、買主であるお客さん自身がローンの仮審査などの申込手続きを行うという点です。

そのため、お客さんがローンに手馴れた熟練不動産投資家であれば、すでにお付き合いのある金融機関に自分自身で打診することもあります。

しかし、これまで金融機関からローンを借りたことのない方の場合は、自社でお取引のある金融機関を紹介したり、お客さんが使えそうな金融機関をリサーチして伝えたりしなくてはなりません。

そのため、金融機関にはどんな種類が存在し、どんな特徴があるのかをあらかじめ理解しておく必要があります。

金融機関は審査の厳しさと対応エリアの特徴から、大きく分けて「都銀」「地銀」「信金・信組」「ノンバンク」「政府系」などがあります。

都銀は「三菱UFJ銀行」「三井住友銀行」「みずほ銀行」など大手銀行で、日本全国に融資をすることができる反面、審査基準が厳しいという特徴があります。地銀は、千葉銀行や静岡銀行、福岡銀行などその県内でメジャーかつ多数の支店がある銀行のことで、融資エリアはその県や近隣までとなります。その地方の人にとって最も馴染みのある銀行です。信金・信組は地銀より対応エリアが狭い代わりに、職員が訪問してくれるなどきめ細やかなサービスを展開することもある地域密着型の金融機関です。

それから、ノンバンクは読んで字のごとく「銀行ではない」金融機関です。具体的には貸し出しはできますが、預金はできないという金融機関です。不動産投資で代表的なノンバンクでは三

金融機関の種類と審査の厳しさ

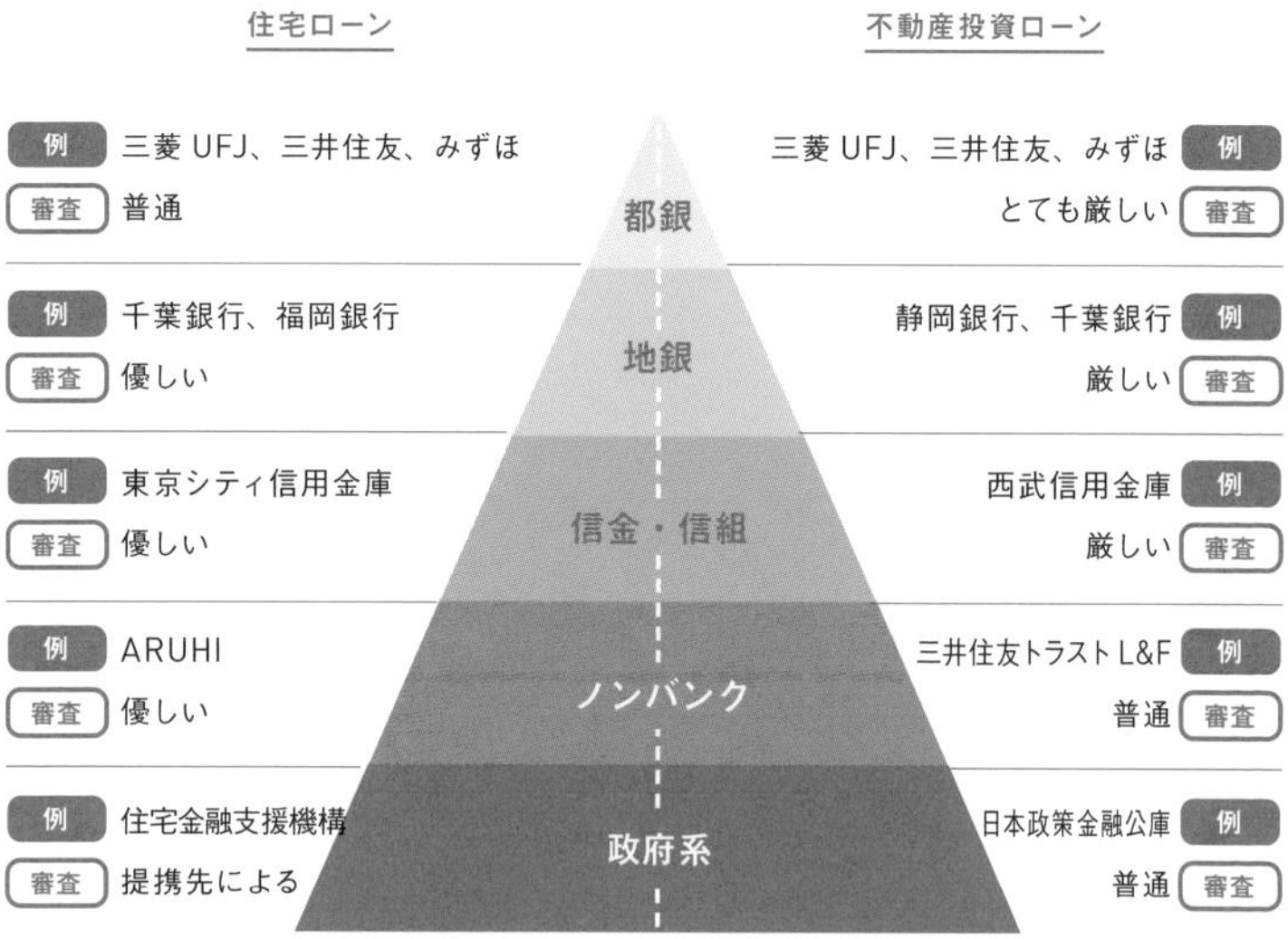

※住宅ローンは上記以外にもネット系などが存在する

井住友トラストローン&ファイナンスや、セゾンファンデックスなどがあり、住宅ローンでメジャーなノンバンクにはＡＲＵＨＩ（アルヒ）などがあります。

政府系金融機関は、一時期不動産投資家に人気のあった日本政策金融公庫や民間と共同でフラット３５を展開している住宅金融支援機構などがあります。

住宅ローンでも不動産投資ローンでも都銀など大手の方が審査は厳しく、ノンバンクなどの方が審査は優しい傾向にあります。そのため、都銀の審査で落とされた方でも、ノンバンクなら借りられることがありますので、複数の金融機関に打診することが大切です。

この金融機関のアレンジも不動産業者としての付加価値の1つですから、お客さんにとって最適な金融機関を推薦できるように、あらかじめお客さんごとに使えそうな金融機関を把握しておきましょう。

2 使える金融機関は「物件」×「お客さん」で決まる

金融機関アレンジでは、やみくもにたくさんの金融機関に当たるのではなく、融資が出そうな金融機関を優先的に当たるようにしましょう。融資を出してくれる金融機関は「物件」×「お客さん」で決まります。ありていに言えば、物件のスペックとお客さんのスペックの両方の要素で決まるということです。

「物件のスペック」とは具体的に、居住用であれば新築なのか中古なのか、一戸建てなのか区分所有なのか、木造なのか鉄骨なのかRCなのか、そして価格はいくらなのか、等のことを意味します。

投資用であれば、まず価格、そして、一棟物か区分所有か、新築か中古か、木造か鉄骨かRCか、敷地や建物面積、利回り、立地、等のことを意味します。

お客さんのスペックごとに使える金融機関（投資物件の場合）

お客さんのスペック（例）	都銀	地銀	信金	ノンバンク
年収2000万円以上	○	○	○	○
年収600～800万円	×	○	○	○
年収400万円程度	×	△	○	○
年収400万円未満	×	×	△	○
日本の永住権なし	×	×	×	×

「お客さんのスペック」というのは、いわゆる属性と呼ばれるものです。具体的には職業、年齢、健康、家族構成、年収、保有資産（頭金）、国籍、永住権の有無などです。

この組み合わせで、各金融機関は審査を行い、融資可否を判断します。特に投資物件の場合は、年収基準を設けている金融機関もあり、一定年収以下の場合は物件スペックにかかわらず融資不可となることもありますので、注意が必要です。また、その逆もあります。極端な例では物件のスペックが極めて高ければ、お客さんのスペックがあまり高くなくとも金融機関は融資してくれることもあります。

とはいえ超高スペックな物件を購入するチャンスはほとんど存在しないため、通常は、普通スペックの物件を購入することになります。物件のスペックが普通ですから、そこではお客さんのスペックも（金融機関が考える）普通以上を求められます。

求められる基準は金融機関により様々ですので、ひとまずお客さんのスペックの中で、最もわかりやすい年収と永住権の有無で使える金融機関を判断するのがよいでしょう。

居住用の物件の場合は、年収が400万円程度あればどの金融機関でもひとまず相手をしてもらえるためそれほど苦労はしませんが、投資物件ではかなりお客さんのスペックを求められるため注意が必要です。

表は特に投資物件の融資に求められるお客さんのスペックをまとめたものです。お客さんの年収が2000万円あれば、どのような金融機関も門戸を開いてくれますが。年収が低くなるにつれて使える金融機関は減る傾向にあります。また外国籍で日本に永住権がない人については、基本的に融資が出ないのが現状です。

3　資金計画に必要な金融電卓　～買える金額を瞬時に計算する

物件を購入するには資金計画が必要です。資金計画とは物件の購入時にいくらのお金が必要か、購入後には月々いくらの支払いが発生するのか、投資物件の場合はさらに家賃収入がいくら入って来るのかなどを明らかにするものです。

物件の購入時には一般的に、頭金と諸費用がかかります。この諸費用は、印紙代、登記費用（登録免許税、司法書士報酬等）、ローン手数料、仲介手数料、火災保険などで構成され、その金額は物件価格のおよそ7〜8％ほどです。仮に頭金が1割とすると、頭金と諸費用を合わせて18％程度の現金が必要になるということです。さらに購入の翌年には不動産取得税がかかります。

物件価格の18％ということは、1億円の物件でいえば1800万円、5000万円の物件でも900万円の自己資金が必要なるわけです。自己資金が不足する場合は頭金を5％に減らすことや購入希望額を下げるなどの対策を考えなくてはなりません。

資金計画では月々の支払いイメージを持ってもらうことも重要です。5000万円の物件を頭金1割、ローン9割で購入したときに「月々いくら銀行に支払うのか」とお客さんから聞かれた際に、パパっと計算して伝えることができれば、あなたの仕事の付加価値は高まります。

その計算に欠かせないのが**金融電卓**です。金融電卓はローンの計算をパパっと行ってくれる優れた電卓です。ローンの計算は高校数学で学んだ等比数列を用いて行うため、普通の電卓ではかなり大変です。しかし金融電卓は、ローン金額、金利、支払月数を入力すると月々の支払金額、全期間の支払金額と合計利息を瞬時に計算してくれるのです。

銀行員であれば持っている人も多いのですが、不動産業者も手元に1つ置いておくといつでもローンの計算ができ、お客さんに提供できる情報が増えるためおすすめです。

この金融電卓はCASIOなど一部のメーカーが出しているものしかなく、数千円から1万円近くするため、新品で購入するのが難しい場合は、メルカリやヤフオクなどで中古品を購入すればよいでしょう。

また最近では、iPhoneやandroidのスマホ用アプリに、無料で使えるローン電卓があるため、使いやすいアプリをインストールしておけばよいでしょう。

なお、金融電卓は単に支払いを計算するだけではありません。私がおすすめする金融電卓の使い方は、**お客さんが購入できる物件の規模を逆算する**というものです。

例えば、マイホームを買いたいというお客さんがいたときに、月収の3割程度を住宅ローン支払いに利用すると想定して計算をします。月収が40万円の方の場合、3割ですから月々に支払う住宅ローン額は12万円となりますのでこの金額をベースに計算します。

金融電卓に月々支払からの借入額を計算するという機能がありますので、仮に金利を1%、ローン期間を30年すなわち360か月、月々の支払を12万円として、借入額を計算すると、借入額は37308848円、利息は5891151円となることがわかります。

つまり、月々12万円の支払いができれば、頭金を300万円ほど入れた30年ローンで4000万円くらいの物件が購入できるということがわかるのです。

資金計画を考える

購入時

頭金（5% ～ 1 割等、資金状況に合わせる）

購入時にかかる諸費用（物件価格の約７～８％）

- 印紙代
- 登記費用（登録免許税、司法書士報酬）
- ローン手数料
- 仲介手数料
- 火災保険

不動産取得税
（宅地は評価額の 1.5%、建物は 3% だが、要件を満たせば一部控除される）

購入後

月々のローン返済額
→金融電卓で計算しよう

金融電卓

購入時、購入後の資金計画を示し、付加価値の高い提案を心がけよう

これによりお客さんにすすめるべき物件の価格がある程度絞り込めるのです。スマホのローン計算アプリでも同様のことができるものを選んでインストールしてください。

4 ギリギリ目いっぱいをすすめてはイケない！

資金計画を立て、お客さんが借りることのできる金額がわかったからと言って理論上の借入可能額ギリギリ目いっぱいの物件ばかりすすめてはいけません。

ローン額をギリギリ目いっぱいに設定すると実際のローン審査で落とされてしまうこともあるからです。

実際のローン審査は金融機関によって基準が異なり、例え返済比率が月収の30％に収まっていても審査を通らない場合もあるからです。

というのも、自動車ローンや教育ローンなどを借りている場合、その分、不動産ローンの返済額が減額され、理論上の借入可能額よりも小さくなることがしばしばあるからです。特に返済可能額がギリギリの場合でネックになるのがスマートフォンの残債です。近年のスマホは10万円を超えるものもあるため割賦で購入するのが一般的です。この割賦は言い方を変えるとローンであり、月々数千円のスマホ割賦支払いの分だけ住宅ローンの枠が減らされていまいます。

ギリギリ目いっぱいをすすめない方がよい理由

ローン可能額のギリギリ目いっぱいをすすめると、、、

その他のローンの影響で融資審査に落ちる

自動車ローン
教育ローン
スマホの割賦

月々の支払が大きくて生活が大変になる

かもしれない。。。

↓

希望する金額（ローン可能額）より
少し低めの物件をすすめる方がよいかも？！

自動車ローンやスマホの残債により不動産ローンの審査が通らない場合は、ローン審査を行う前に自動車やスマホの残債を完済しておく必要があります。

また、例え不動産ローンの審査を通過できたとしても、ギリギリ目いっぱいのローンを組んでしまうと支払いが大変になってしまうので、余裕を持った生活ができるようにローンギリギリ目いっぱいの物件をすすめるのではなく、余裕を持たせて希望よりも少し低い金額の物件をすすめる方がよいと思います。

第 3 章

物件調査から始まる契約書・重説作成

1 事前に調査すること、現地で調査すること一覧

不動産の売買において物件調査をする目的は、主に重要事項説明書（及び売買契約書）の作成に必要な情報を収集するということです。

情報収集は〝ネット〟、〝現地〟、〝役所〟の順に行うのが最も効率的です。次の図は主な調査事項を記載したものです。まずはざっくりとどのような情報をどこで手に入れることができるのかを把握してください。

表に記載されているように、調査内容のうち約半分はネットで取得可能な情報です。まず最初にこれらの情報をおさえ、次に現地にて必要な情報を把握してきます。

最後に役所や関係機関でしか手に入らない情報を確認してくるという順番で、必要な情報を漏れなく取得してきてください。

事前に調査すること一覧

ネットで調査すること

- 登記事項証明書
- 用途地域
- 関係道路
- ライフライン（ガス、上下水道）
- 地図
- ハザードマップ

現地で調査すること

- 物件状況（設備）、周辺状況、管理状況
- 隣地との境界標
- 前面道路

役所で調査すること

- 道路種別
- 都市計画、開発計画
- 建築確認申請書（台帳記載事項証明書）
- ハザードマップ（冊子）
- 評価証明（都税事務所）

2 まずは事前にネットで調査しよう

1 登記事項証明書はネットで取得する

調査において最初に行うのは「登記事項証明書」の取得です。

この「登記事項証明書」とは、いわゆる登記簿と呼ばれるものです。（以降、本書では登記事項証明書と登記簿はどちらも同じ意味として取り扱います。）登記事項証明書とはその土地、建物について、面積や構造、所有者、抵当権などの情報が記載されている公的な証明書です。全国の法務局（及びその出張所、いわゆる登記所）に保管されており、かつては法務局に出向いて複製を取得しなくてはならないものでした。しかし、最近ではネットの発達により、オフィスのパソコンで登記情報提供サービスというサイトからＰＤＦファイルにてダウンロード購入することができるようになっています。

登記事項証明書をダウンロード購入する際には、土地全部事項、建物全部事項、地図（公図）、建物図面（各階平面図）、土地図面（地積測量図）の5点セットを入手しましょう。また、土地全部事項及び建物全部事項については共同担保目録が表示されるようにしておきます。

前面道路や私道の持ち分がある場合は、それら道路の土地全部事項も取得しておきます。1部あたり数百円程度なので、全部揃えると2000円くらいかかるものだと考えてください。

この登記事項証明書（通称、登記簿）ですが、データ自体は完全に電子化されているため、インターネットで取得できるものと法務局の窓口で取得できるものの内容はまったく同じものとなります。法務局の窓口で購入すると、青緑色の偽造防止用の複雑な模様（コピーすると複製の文字が浮き出る）のついた立派な紙に印刷してくれるだけで、記載されている内容はパソコンでダウンロードしたPDFと同一です。つまり、**内容を確認するだけ**ならわざわざ法務局に行く必要はないということです。

昔気質の不動産業者の中には、わざわざ法務局に出向いて登記事項証明書を取得しなくてはならないと主張する人もいますが、それは間違いです。オフィスのパソコンを使えば5分で取得できる登記事項証明書を、わざわざ何時間もかけて法務局まで車で移動して取得してくるなど時間の無駄でしかありません。

基本的にはネットで済ませられるものはネットで済ますというスタンスで仕事をする方が効率

登記事項証明書はネットで取得する

登記情報検索画面

ネットでできることはネットで済ます！
必ず最新日付のものを自社で取得する！

的なのです。

　ただし、売主側の業者として、買主側の業者に登記事項証明書のコピーを渡す際には、わざわざ法務局に出向き購入した登記事項証明書の方がより信頼されることは確かです。というのもＰＤＦの登記事項証明書はやろうと思えば素人でもパソコンで偽造や修正ができますが、法務局で購入した登記事項証明書は素人が偽造するのは難しいからです。

　登記事項証明書の偽造は極端な例ですが、最新の登記情報を把握するためにも取引の最初に最新の日付で登記事項証明書をダウンロード購入してください。

ネットで取得できる登記情報

最低限取得するべき登記情報

登記5点セット
- 土地全部事項
- 建物全部事項
- 地図（公図）
- 土地図面（地積測量図）
- 建物図面（各階平面図）

追加情報
- 隣地の土地全部事項
- 前面道路の土地全部事項
- 私道の土地全部事項

登記情報検索画面

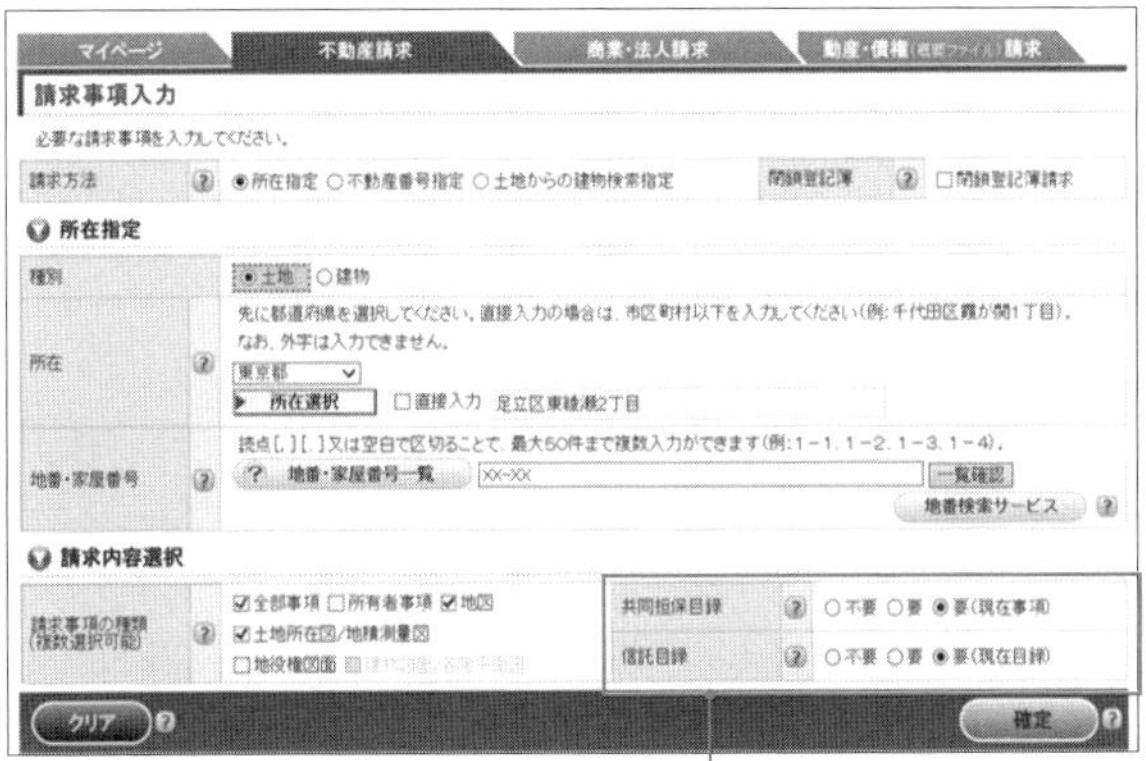

共同担保目録と信託目録は"要"にチェックを入れる

2 登記事項証明書の読み方 ～登記簿は物件の履歴書、読み解くと歴史がわかる

登記事項証明書は、表題部と権利部の2つで構成されています。表題部とはその土地（もしくは建物）の地番や面積、建物の種類や構造、床面積などが記載されている部分です。マイソクや重要事項説明書などに記載する土地面積、建物面積はこの数値をもとにします。

次に権利部は持ち主の所有権等が記載される甲区と借入金の抵当権などが記載されている乙区に分かれています。

これら権利部の情報は、誰が不動産の所有者であり、誰による抵当権などの権利が設定されているかを確認するために用います。重要事項説明書に記載する登記内容はこの表記通りに記載することが必要となります。

登記事項証明書は、各部の情報から、様々なことを読み取ることができます。95ページの例では、地目が昭和41年に「田」から「宅地」に変更されていることがわかります。もともとは田畑だったということがわかるため、地盤などのチェックに役立つ情報です。

土地の面積を表す地積はあくまで登記簿上の面積であり、実際に測量した場合の面積と異なることもありますが、大まかな土地の広さを把握するうえでは必須情報です。

権利部（甲区）からは所有権の変遷を読み解くことができます。95ページのの例では、昭和43年に売買され今の持ち主となってから、平成11年に相続され、さらに平成29年に売買で現オーナーの所有となったことがわかります。つまり（電子記録上の）所有者としては3オーナー目ということになるわけです。

この所有権の変遷からは様々な売主の事情を推し量ることができます。例えば、相続後の所有者名が1人で女性の名前だった場合は、奥さんが一次相続したことがわかり、その数年後に複数の人たちに相続されている場合は、ご子息が二次相続したことがわかります。直近に相続された記述がある場合は、この不動産は相続したものの使用しないため売却に出したことが想定されます。不動産そのものに興味のないご子息が売却をする場合は、格安で売却することもあり得ますので、値引き交渉の可能性が見えてきます。

権利部（乙区）からはその物件に設定されている抵当権を知ることができます。抵当権とは銀行等でローンを組んだ際に、その物件を担保として差し押さえられるように設定されるものです。ここでは抵当権の極度額（ローン金額）や、いつどこの金融機関からお金を借りたのか等の情報を知ることができます。

この情報はこの物件に対していくらのローンが残っているかを推測するのに役立ちます。

例えば、借入後あまり年数がたっていない場合は、ほとんど残債が減っていないことがわかりますので、残債を下回るような値引き交渉は厳しいと推測されます。逆に、抵当権が抹消され残債が0だとわかる場合は多少の値引き交渉が成立する可能性があるといえます（例では権利部の抵当権には下線が引かれており、全て抹消済みとなっています）。

不動産業者として重要なのは、こういった登記情報の内容から推察されることをお客さんに説明できるかということです。単に登記情報を読み上げて伝えるのではなく、そこからお客さんに**有益な情報を読み解くことが付加価値の高いサービス**だからです。

共同担保目録は、この物件とともに抵当権等が設定されたその他の不動産がないかをチェックするために用います。

不動産の共同担保として最も一般的なのは、土地と家屋を共同担保とすることです。具体的には、マイホームを購入した際に、銀行はその土地と建物の両方を共同担保として、抵当権を設定します。

もし、共同担保目録に私道の持ち分が記載されていたとしたら、この物件の所有者は私道の持ち分も所有していることがわかるため、売買の対象に加えなくてはなりません。

また、この共同担保目録にまったく関係のない別の物件が載っている場合は、売却にあたって権利関係を清算してもらう必要が出てきます。

このように共同担保目録は、その物件に関連する別の物件の存在を探し出すことにとても有用

登記情報(土地全部事項)の読み解き方

表題部

表題部　（土地の表示）		調製　平成11年2月25日	不動産番号　[redacted]
地図番号　余白		筆界特定　余白	
所在　[redacted]			余白
①地番	②地目	③地積　㎡	原因及びその日付〔登記の日付〕
[redacted]番[redacted]	田	111：	[redacted]番[redacted]から分筆 〔昭和41年3月25日〕
余白	宅地	136：60	②③昭和41年10月10日地目変更 〔昭和42年8月3日〕
[redacted]番[redacted]	余白	余白	①変更 〔平成3年2月12日〕
余白	余白	余白	昭和63年法務省令第37号附則第2条第2項の規定により移記 平成11年2月25日

権利部(甲区)

権利部（甲区）（所有権に関する事項）			
順位番号	登記の目的	受付年月日・受付番号	権利者その他の事項
1	所有権移転	昭和43年1月30日 第[redacted]号	原因　昭和43年1月29日売買 所有者　東京都[redacted]区[redacted]丁目[redacted]番[redacted]号 [redacted] 順位1番の登記を移記
	余白	余白	昭和63年法務省令第37号附則第2条第2項の規定により移記 平成11年2月25日
2	所有権移転	平成11年12月3日 第[redacted]号	原因　平成11年8月5日相続 所有者　東京都[redacted]区[redacted]丁目[redacted]番[redacted]号 [redacted]
3	所有権移転	平成29年12月1日 第[redacted]号	原因　平成29年10月27日売買 所有者　[redacted]市[redacted]町[redacted]丁目[redacted]番地[redacted]

権利部(乙区)

権利部（乙区）（所有権以外の権利に関する事項）			
順位番号	登記の目的	受付年月日・受付番号	権利者その他の事項
1	根抵当権設定	昭和53年11月7日 第[redacted]号	原因　昭和53年10月31日設定 極度額　金1，200万円 債権の範囲　信用金庫取引　手形債権　小切手債権 債務者　東京都[redacted]区[redacted]丁目[redacted]番[redacted]号 [redacted] 根抵当権者　東京都[redacted]区[redacted]丁目[redacted]番[redacted]号 [redacted]信用金庫 （取扱店　[redacted]支店） 共同担保　目録[redacted]号 順位1番の登記を移記
2	賃借権設定請求権仮登記	昭和53年11月7日 第[redacted]号	原因　昭和53年10月31日設定予約 借賃　1月1㎡20円 支払期　毎月末日 存続期間　3年 特約　譲渡、転貸ができる 権利者　東京都[redacted]区[redacted]丁目[redacted]番[redacted]号 [redacted]信用金庫 順位2番の登記を移記
3	1番根抵当権抹消	平成11年12月3日 第[redacted]号	原因　平成11年11月19日解除
4	2番仮登記抹消	平成11年12月3日 第[redacted]号	原因　平成11年11月19日解約

下線がある行は抹消されていることを表す

読み取るべきこと

▶所在(住所とは異なる)
▶地目：昭和41年に「田」を「宅地」に変更
▶地積：土地の面積は136.6㎡

▶所有権の変遷

昭和43年に売買され、平成11年に相続で所有権が移転し平成29年に売買され、所有権が移転している。つまり、電子記録上は3オーナーめということ

▶抵当権の状態

昭和53年に信金の根抵当権及び賃借権設定請求の仮登記が設定されているが平成11年(おそらく相続のタイミング)にどちらも解除されている。つまり、現在、抵当権はない(借金なし)ということ

登記情報（建物全部事項）の読み解き方

表題部

表　題　部　（主である建物の表示）	調製	平成１１年２月２５日	不動産番号	[redacted]
所在図番号	余白			
所　在	[redacted]市[redacted]丁目　[redacted]番地[redacted]		余白	
家屋番号	[redacted]番[redacted]		余白	
①　種　類	②　構　造	③　床　面　積　㎡	原因及びその日付〔登記の日付〕	
共同住宅	木造瓦葺２階建	１階　６９：９２ ２階　６９：９２	昭和５４年３月２６日新築	
余白	余白	余白	昭和６３年法務省令第３７号附則第２条第２項の規定により移記 平成１１年２月２５日	

権利部（甲区）

権　利　部　（　甲　区　）　（所　有　権　に　関　す　る　事　項）			
順位番号	登　記　の　目　的	受付年月日・受付番号	権　利　者　そ　の　他　の　事　項
1	所有権保存	昭和５４年４月１１日 第[redacted]号	所有者　東京都[redacted]区[redacted]丁目[redacted]番[redacted]号 [redacted] 順位１番の登記を移記
	余白	余白	昭和６３年法務省令第３７号附則第２条第２項の規定により移記 平成１１年２月２５日
2	所有権移転	平成２９年１２月１日 第[redacted]号	原因　平成２９年１０月２７日売買 所有者　[redacted]市[redacted]丁目[redacted]番地[redacted] [redacted]

権利部（乙区）

権　利　部　（　乙　区　）　（所　有　権　以　外　の　権　利　に　関　す　る　事　項）			
順位番号	登　記　の　目　的	受付年月日・受付番号	権　利　者　そ　の　他　の　事　項
1	根抵当権設定	昭和５４年４月１１日 第[redacted]号	原因　昭和５４年３月３０日設定 極度額　金１，２００万円 債権の範囲　信用金庫取引　手形債権　小切手債権 債務者　東京都[redacted]区[redacted]丁目[redacted]番[redacted]号 [redacted] 根抵当権者　東京都[redacted]区[redacted]丁目[redacted]番[redacted]号 [redacted]　信　用　金　庫 （取扱店　[redacted]支店） 共同担保　目録[redacted]第[redacted]号 順位１番の登記を移記
2	賃借権設定請求権仮登記	昭和５４年４月１１日 第[redacted]号	原因　昭和５４年３月３０日設定予約 借賃　１月１㎡１００円 支払期　毎月末日 存続期間　３年 特約　譲渡、転貸ができる 権利者　東京都[redacted]区[redacted]丁目[redacted]番[redacted]号 [redacted]　信　用　金　庫 順位２番の登記を移記
3	１番根抵当権抹消	平成１１年１２月３日 第[redacted]号	原因　平成１１年１１月１９日解除
4	２番仮登記抹消	平成１１年１２月３日 第[redacted]号	原因　平成１１年１１月１９日解約

読み取るべきこと

▶**所在、家屋番号（住所とは異なる）**

▶**種類：共同住宅**

▶**構造：木造瓦葺２階建**

▶**床面積：1階69.92㎡、2階69.92㎡**

▶**昭和54年新築**

▶**所有権の変遷**

昭和54年に新築されたこと

平成29年に売買され、所有権が移転している。

つまり、電子記録上の2オーナーめということ

▶**抵当権の状態**

昭和54年に信金の根抵当権及び賃借権設定請求の仮登記が設定されているが平成11年にどちらも解除されている。

抵当権が消えていない場合、残債が残っている可能性があるが、上の例では抵当権はないため、残債はないと考えられる

共同担保目録の読み解き方

共同担保目録

共　同　担　保　目　録			
記号及び番号	[redacted]第[redacted]号	調製	平成１１年７月２２日
番　号	担保の目的である権利の表示	順位番号	予　　備
1	[redacted]市[redacted]丁目　[redacted]番[redacted]の土地	1	平成１１年１２月３日受付第[redacted]号抹消
2	[redacted]市[redacted]丁目　[redacted]番地[redacted]　家屋番号　[redacted]番[redacted]の建物	1	平成１１年１２月３日受付第[redacted]号抹消
	余白	余白	昭和６３年法務省令第３７号附則第３条の規定により移記 平成１１年７月２２日
	余白	余白	平成１１年１２月３日全部抹消

読み取るべきこと

▶ **共同担保の有無**

土地、家屋がともに共同担保となっていることがわかる。
この共同担保目録に、そのほかの土地や家屋、私道の土地が記載されている場合は、それらの登記事項証明を取得し内容を確認する必要がある

ですので、必ずチェックしましょう。

なお、共同担保目録を表示してもしなくても、登記事項証明書を発行する費用は変わらないため、必ず共同担保目録は〝要〟として購入してください。

3 用途地域をネットで取得する

マイソク（物件情報）や重要事項説明書等には必ず用途地域を記載する必要があります。この用途地域とは、都市計画法に基づき土地の利用方法を決めるものです。わかりやすく言えば、このエリアには住宅だけしか建ててはいけませんということや、このエリアは店舗の建設もＯＫ、このエリアは工場もＯＫというように区分けするための決まりです。この決まりがあることで閑静な住宅街のど真ん中に工場が建設され騒音が響き渡る、などの問題を未然に

防ぐことができるのです。

この用途地域については、第一種低層住居専用地域や、商業地域、工業地域など様々な種類があります。具体的な名称は宅建の教科書を参照してください。実務を行ううえで大切なのはその名称を覚えることではなく、取引される物件はどの用途地域なのかを調べられることなのです。そして、その物件の用途地域のことだけ頭に入れれば問題ありません。そうやって取引を重ねているうちに、主な用途地域については覚えていきますのでご安心ください（逆に言うと、取引したことのないマイナーな用途地域については覚える必要はないということです）。

さて、用途地域の調べ方ですが、まず一番最初にネットで検索することから始めてください。東京都内や都心部であれば、基本的には役所のホームページ内に用途地域を調べるページやリンクがあるはずです。

検索ワードは「○○区（市） 用途地域」です。検索エン

仕事のワザ

画面の保存ができない場合は、画面キャプチャを撮ってください。画面キャプチャの撮り方はキーボードの「PrtSc」でしたよね。

これでコピーできるのでワード、エクセル、パワーポイント等を開いて、ペースト（貼り付け Ctrl+v）をしてください。

用途地域をネットで取得する

用途地域他、必要な
情報が表示される！

この画面をキャプチャ（PrtSc）しておき、
後の資料作成に役立てよう！

ジンの一番上に役所のホームページが表示されると思います。そこから各役所の用途地域を検索するページに入ります。あとは住所を指定して用途地域などの情報を閲覧すればOKです。用途地域以外にも容積率や建蔽率、防火指定や日影規制、斜線制限、市街化区域（市街化調整区域）の記載など、マイソクや重要事項説明書を作成するために必要な様々な情報が表示されるので、この画面を保存しておくと後々便利です。

4 関係道路をネットで取得する

用途地域及び関連情報を手に入れたら、次は物件に関係する道路の情報をネットで入手します。この道路等の情報は最終的に役所に出向き口頭で確認を行わなくてはなりませんが、最初はネットの情報のみで構いません。

先ほどと同様に検索エンジンに「〇〇区（市） 建築基準法 道路」などと打ち込めば、役所のホームページが表示されます。気の利いた自治体であれば、先ほど用途地域を調べるときに使ったサイトと統合されていることもあります。その場合、画面上の「建築基準法道路」をクリックすると、用途地域の表示から関係する道路の表示に切り替わりとても便利です。

道路台帳のページに関連する内容が記載されている場合もありますので、いろいろ試してみて必要な情報をネットから取得する能力を身につけてください。

この道路の情報は用途地域と並び、不動産取引において最重要事項です。というのも、前面道路の種類及び接し方によって、その場所にお客さんが求める建物を建築できるか否かが決まるからです。

基本的に建物を建てるときは、建築基準法上の道路（幅員４ｍ）に間口２ｍ以上接することが義務付けられています。取引を行う土地に関係する道路が、建築基準法上の道路でない場合は「建築できない」土地となってしまいます。万が一にでも「建築できない土地」を「建築できる」として売買・仲介を行った場合は、損害賠償を求められることもありますので入念に調査してください。

建築基準法上の道路のうち、必ず覚えておくべき道路は42条1項1号道路及び42条1項5号道路（位置指定道路）、42条第2項道路（通称、2項道路）、43条第2項第2号（旧43条但書）道路です。

42条1項1号道路は、いわゆる公道です。建物を建てることができるため安心して取引することができます。

42条1項5号道路は、一般的に「位置指定道路」と呼ばれる私道です。その土地のオーナーが建築のために道路を作り、役所（特定行政庁）に建築できる道路として指定してもらった道路です。この「位置指定道路」は役所に行けば、位置指定道路の申請書と位置指定道路図を取得できます。必ずこれらを取得し位置指定の内容を確認しておきましょう。

42条第2項道路は、いわゆる「二項道路、みなし道路」と呼ばれるものです。建築基準法では幅員4ｍ未満の道に接している土地には、建物を建設することができませんが、同法施行前から建物がすでに建っていた幅員4ｍ未満の道に対する救済として、道路と「みなす」ことで建築を可能とするものです。二項道路は私道の場合も公道の場合もありますが、いずれもセットバックをすれば建物を建ててよいことになっています。セットバックとは、新しく建物を建てる際に、道路の中心線から２ｍの地点まで下がることです。道路両端の建物がそれぞれ建替えるタイミングで2メートルずつ道路を確保すれば、２＋２＝４ｍの道路幅員を確保することができ、晴れて建築基準法上の道路となるわけです。この二項道路の場合、もれなくセットバックが発生します。そのためセットバックするということは既存の土地の一部を道路として提供することになります。そのためセットバックによりどれくらい面積が減るのかを調べ、マイソクや重要事項説明書に記載しなくてはなりません。

43条第2項第2号道路は、これまでは43条但書道路と呼ばれていた道路のことです。多くの不動産業者からは、いまだに「43条但書道路」や単に「但書道路」などと呼ばれています。この道路は基本的には再建築できないのですが、特定行政庁が認め、建築審査会の同意を得ることができれば再建築ができるという道路になります。

ただし、建築審査会の同意が得られるかどうかは、実際に審査を行ってみないとわからないため、お客さんに対して、再建築できますと安易に言うべきではありません。できることなら43条第2項第2号道路は避ける方が望ましいと思います。なお43条には第2項第1号道路というものもありますが、こちらも同様に再建築をする際には特定行政庁から認めてもらう必要があります。

関係道路をネットで確認する

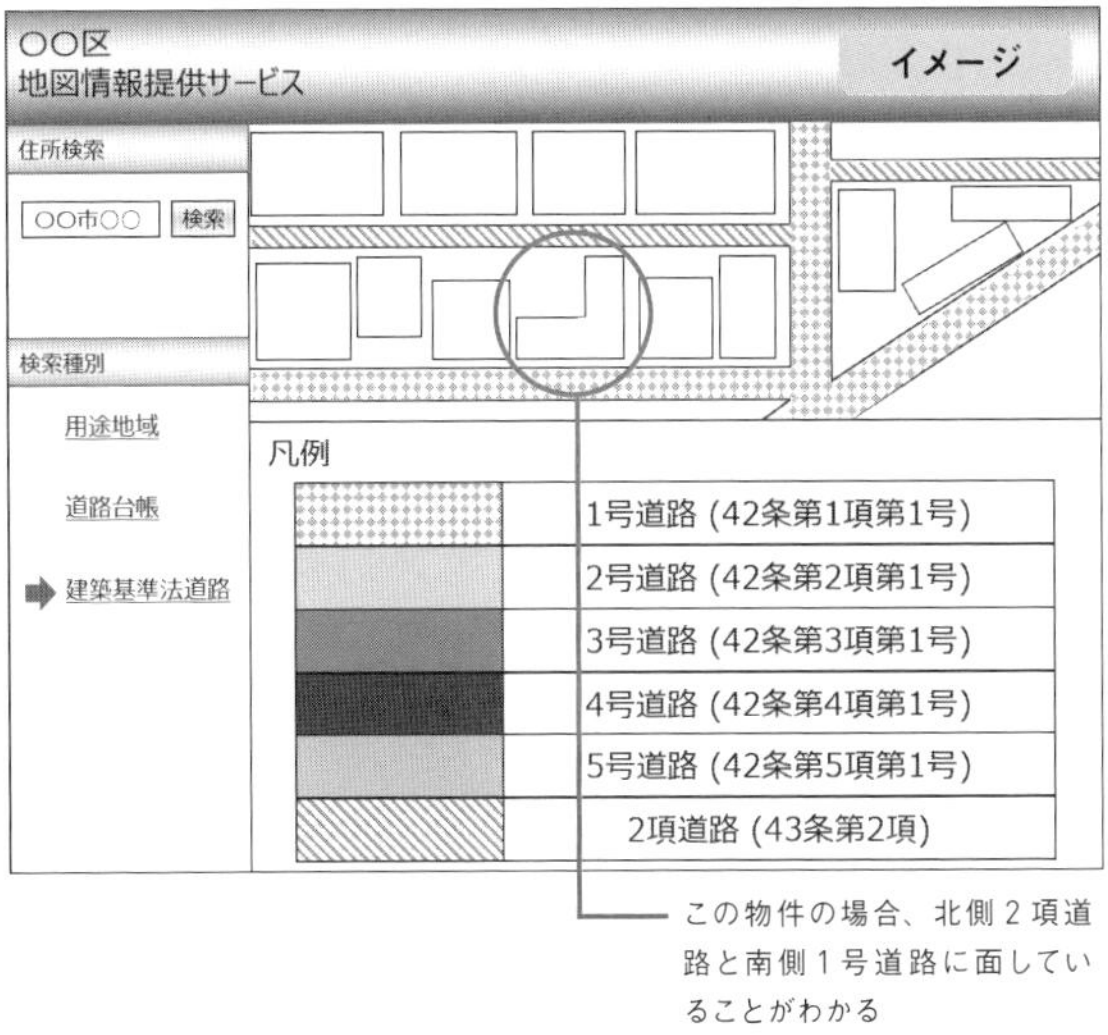

お客さんにとって、どうしてもその場所にこだわらなくてはならない理由があるのであれば別ですが、わざわざ特別な手続きをしなければ再建築ができない不動産はおすすめしないというのが付加価値の高いアドバイスだと私は考えます。

最重要項目　～道路の種類

42条第1項第1号道路	道路法による道路。いわゆる公道。道路の幅員が4m以上ある建築可能な道路。
42条第1項第2号道路	民間業者が作るいわゆる開発道路。大規模な宅地造成等で業者が作り、将来、公道とすることも多い。
42条第1項第3号道路	建築基準法施行以前から存在した道路。いわゆる既存道路。
42条第1項第4号道路	都市計画法等で作られる計画道路（予定地含む）計画道路予定地内に建設はできない。
42条第1項第5号道路（位置指定道路）	特定行政庁からその位置を指定された道路。建築するための要件（幅員4m）を満たすための私道。
42条第2項道路（2項道路、みなし道路）	建築基準法施行以前から既に建物が建っていた幅員4m未満の道路。建替えの際にはセットバックが必要となる。
43条第2項1号道路	基本は建築できないが、特定行政庁が認めれば建築できる道路
43条第2項2号道路（旧43条但書道路）	基本は建築できないが、特定行政庁が認め、建築審査会の同意を得て許可が下りれば建築できる道路
通路、水路等（建築基準法によらない道）	上記のどれにも該当せず、建築できない道。幅員が4m未満の通路、水路、農道など。

5 ライフラインをネットで取得する ～ガス、上下水道

重要事項説明書に記載すべき重要な事項として次に調べるのはライフラインです。ライフラインとは、日本語にすると生命線すなわち、人が生きるのに必要な設備のことです。具体的には電気やガス、水道（上下水道）のことになります。そのうち電気については、電柱から電線が引いてあるかの目視確認が可能です。しかし、ガスや水道については配管が地中に埋まっているため一目で把握することができません。そのため、ガス会社や水道局にて地中に埋まっている配管図を取得して書面で確認する必要があるのです。

この書面についても、登記簿同様にある程度まではネットで調べることが可能ですので、まずはネットで調べてください。

ガスについては、例え現地にプロパンガスのボンベが設置されていたとしても、都市ガスの配管が物件の前面まで来ている場合もありますので必ず図面を取得して確認するようにしてください。

大手のガス会社であれば必ずホームページにガス配管図の閲覧申込ページや申し込みのＦＡＸ番号があるため、そこから手続きを行います。

ガス配管図から読み取ること

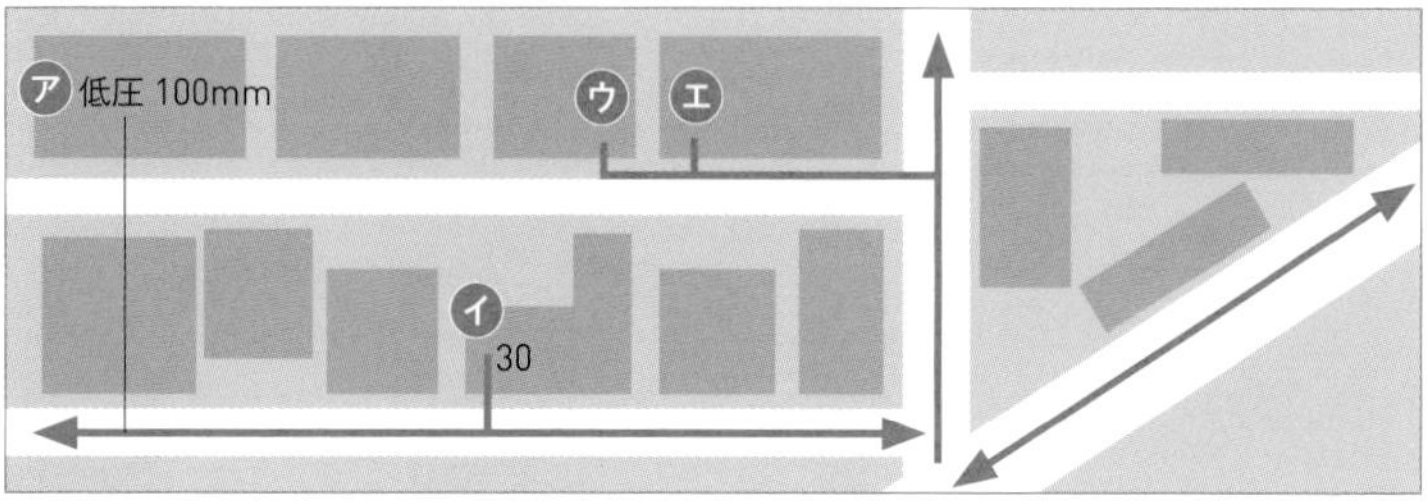

読み取るべきこと

- ア 前面道路の配管は低圧 100 ミリ径であること
- イ 引込管は 30 ミリ径であること
- ウ ウの家のガス管はエの敷地から伸びていること
- エ エの敷地にはウの家の配管が埋まっていること

　ガスの配管図を手に入れたら、その内容に基づき重要事項説明書のガス管についての欄を記入します。具体的には前面道路の配管及び引込管の径についてです（図のア、イ）。もし、取引をする家の前面に配管が無ければ、配管がない旨を記載します。また、その家の配管が隣地の敷地を通っている場合（図のウ）や、他人の家の配管が自分の家の敷地を通っている場合（図のエ）などはその旨を記載します。

　もともと親子が隣同士で家を建てたため配管を共有していた等、配管が隣地を経由している理由は様々あります。いずれにせよ後々のトラブルを避けるために直接道路から配管を引き直すか、将来建てｚｆ直す際に引き直す等の取り決めを隣地所有者と交わすことが必要となってきます。売主である現所有者と隣地所有者との関係が良好であれば、現所有者と隣地所有者の間でガス管の取決めの書類を作成し、買主に引き継ぐように依頼するのが不動産業者としての仕事となります。

続いて上下水道です。上水道についてもネットで閲覧することが可能です。（事前手続きが必要です。）もし事前手続きを行っていない場合は、直接その物件の最寄りの水道局に出向く必要があります。

物件の取り扱いが多い業者は、事前手続きを行っておいた方がよいでしょう。事前手続きについては不動産業者の登記事項証明書等、取締役社長の許可を得なければ手に入らない書類等が必要になりますので上司に確認して行ってください。

また下水道については事前手続きなしにネットによる閲覧が可能です。検索エンジンで「場所　下水道　配管図」と打ち込めば、当該ページがヒットすると思います。

なぜ上水道は事前手続きが必要で、下水道は不要なのかという理由については、先輩不動産業者が言うには、上水道は飲料水なので毒物などを混入させるテロリズムに利用される可能性があり不特定多数に配管を閲覧させるのは好ましくないからだとのことです。下水道は飲料水ではないのでネットで公開しても問題ないいんだとか。

上水道配管図から読み取ること

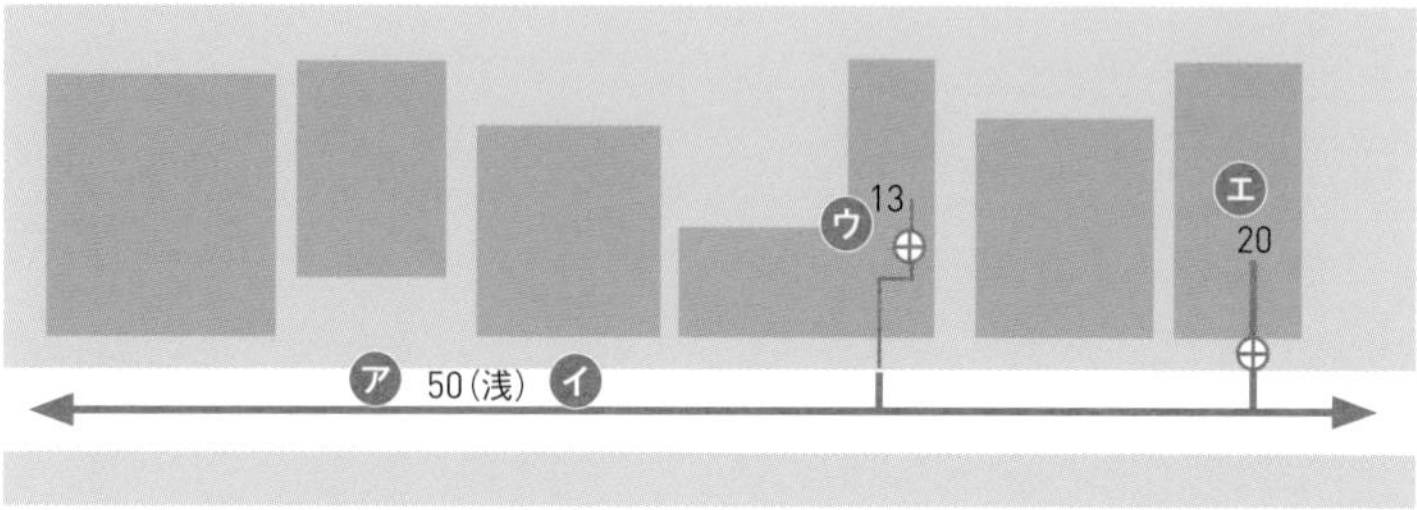

読み取るべきこと

ア 前面道路の本管は50ミリ径であること

イ 地表から管までの距離が浅いこと（浅層埋設管）

ウ 敷地内に埋設された引込管は13ミリ径であること（⊕はメーター）

エ 敷地内に埋設された引込管は20ミリ径であること

上水道管もガス管同様に道路に埋設されている本管の径、敷地内に埋設されている引込管の径、浅層埋設管か否か（地表から管までの距離が浅いか）などを確認します。上水道が引き込まれていない場合は、本管から建物までの距離によって、引込管を設置する費用が大きく異なりますので、前面道路から最短で引き込めるかを確かめます。また本管が浅い位置に埋設されている場合と深い位置にある場合では引込時の掘削費用も変わりますので合わせて確認しておきます。

引込管の径は一般的には13ミリから20ミリですが、店舗などで大量に水を使用する場合は径の大きな管が必要になってきますので合わせて調査します。なお、実際の上水道配管図にはこれ以外にも配管の材質などの情報が含まれている場合もあります。

下水道管は本管の径、引込管の径とともに雨水が合流式か分流式かを調べます。合流式とは、建物の汚水・雑排水と雨水を合わせて下水道（本管）に流す方式です。分流式は汚水・雑排水については下水道に流しますが、雨水は下水道には流さず処理する方式となります。なお直接下水道に排水せずに浄化槽を利用している場合、浄化槽の定期メンテナンス費用がかかりますので、売主に事前にヒアリングしておきましょう。売主にヒアリングできない場合は、浄化槽の定期メンテナンス費用について役所に問合せると関連業者を紹介してくれますので、業者に問合せることで調査が可能です。

6 ネットでうまく探せないときは電話する

用途地域、関係道路、ライフラインなどをネットで探すときに、役所などのホームページのどこに必要な内容が記載されているかわからない時があります。

役所のホームページは自治体ごとに様々なデザインですので、必要な情報がそもそも掲載されているのかどうかすら疑わしい時があります。そういう迷わず電話をしましょう。電話番号は代表でもよいですし、道路課や都市計画課など、なんとなくそれっぽい名前の部署でも構いません。

電話で要件を伝えれば、該当する部署につないでくれるからです。

該当する部署の人に電話がつながったら、礼儀正しく必要な情報がホームページ上のどこに掲載されているのかを尋ねましょう。役所の方は懇切丁寧に教えてくれるはずです。

ライフラインに関する電話問合せについては、電力会社やガス会社は適切にアドバイスしてくれますが、上水道を管理している水道局については、実際に訪問しなくてはならないでしょう。

どのような情報でも可能な限りネットを使い自分自身で調べる習慣を身につけなくてはなりませんが、どうしてもわからない場合は電話して尋ねましょう。

役所のホームページ内で長時間さまよい続けるくらいなら、サクッと電話が一番です。

7 住宅地図はもういらない ～登記情報サービスとグーグルマップで9割ＯＫ

古くから不動産業に携わっている人は、必ずお世話になったことがあるものに、「住宅地図」と「ブルーマップ」というものがあります。住宅地図とはマンション名や住宅の所有者名が記載された地図で、ブルーマップとは土地の地番や用途地域などがわかる地図のことでどちらも株式会社ゼンリンが発行しているものです。

住宅地図は細かな建物の配置や所有者名がわかるため、現地調査の際には役立ちます。ブルーマップは住居表示（○丁目○番地○号）から登記簿記載の地番（○番○○）を調べることができるため、登記簿を取得する際に必須の地図でした。

この地図はかなり詳細な内容が記載されているものの、記載範囲が狭く23区であれば、1区1冊4万円くらいする高額商品です。

かつてはどこの不動産業者でも1冊や2冊こういった地図を持っていたようですが、最近ではまったく必要がなくなってしまいました。

というのも無料で使えるグーグルマップと登記情報サービスが充実してきたからです。

グーグルマップは小さな路地なども網羅されているものの、もちろん建物の所有者などは記載されていません。しかし、取引に関連する物件や周辺隣地については登記簿を取得すれば、登記上の所有者は判明しますのでそれほど問題はありません。

また、登記情報サービスはこのブルーマップを利用して地番を検索するサービスと連携しています。そのためよほどのことがない限り、自社でブルーマップを購入する必要がなくなったのです。もちろん実際の法務局（登記所）に足を運べばそこに設置してあるブルーマップを閲覧することは可能ですが、今はオンラインでもそれができるようになっているのです。

現代の不動産業者にとってこれらは知っていて当然の知識です。しかし、いまだ古い先輩社員など幅を利かせているのが不動産業界です。そういった古参社員はインターネットの使い方もわ

地番検索サービス

登記情報検索画面の地番検索サービスを利用しよう

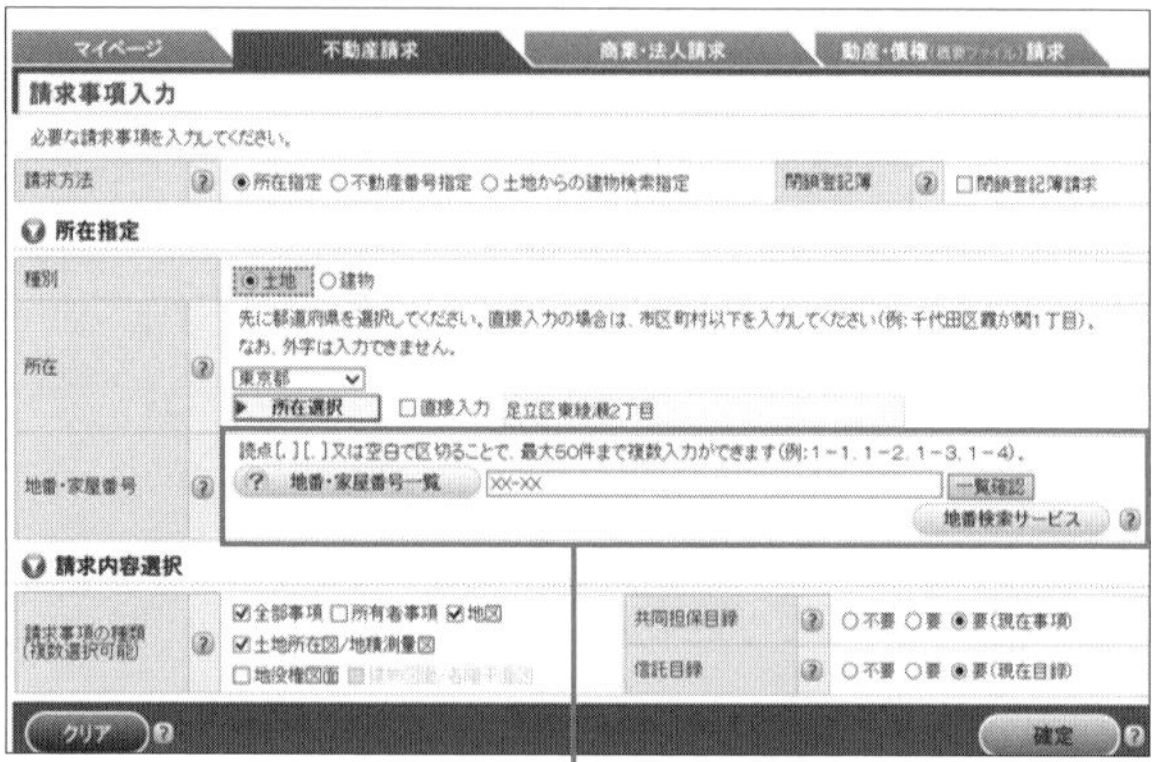

地番検索サービスを利用し住居表示から地番を探す

高額なブルーマップや住宅地図はもう不要！
ネットで最新の地図を手に入れよう

からず、新人社員に昔ながらの方法で紙の住宅地図を調べてこいなどと無駄に時間をかける指示をするかもしれません。万一、自社の先輩がそういう古い体質の人だった場合は、「はいはい」と受け流しつつ、華麗にスルーしてください。

8 物件資料は一冊のＡ４ファイルにまとめる 〜調査内容をまとめて持ち歩く

これまで調べてきた物件資料は一冊のＡ４ファイル（クリアポケットファイル）にまとめてしまいましょう。そしてこのＡ４ファイルを取引終了まで持ち歩けば、どんなときにも対応可能な優秀なビジネスマンとなれます。

Ａ４のファイル自体は１００均のものでも構いません。仕事中は常に携行するのでできるだけ軽めのもの、できればクリアポケットが20枚以上ある方がよいでしょう。Ａ４ファイルの背表紙には「住所　物件名」を記載したラベルシールなどを貼り付けます。

Ａ４ファイルの１ページ目にはその物件のマイソクを入れ、２ページ目には媒介契約書、３ページ目には作成中の売買契約書・重要事項説明書のドラフト、４ページ目には登記簿書類、５ページ目には評価証明、６ページ目には建築確認関連資料、７ページ以降にネットで調べた道路資料やライフライン、ハザードマップなどを入れ、10ページ目以降は金融機関に提出する書類や、決済時に使用する精算書、金種、領収書等売買取引の後半に使用するものを入れるためにスペースを空けておきます。**収納のコツは〝重要なモノ順〟×〝使うモノ順〟で入れていく**ということです。

ネットで取得したものについては、会社のプリンターなどで印刷して入れておきましょう。お客さんにいつでも紙面を見せながら説明できるように準備しておきます。すぐに目的の資料が取り出せるように順番を決めて収納します。

このA4ファイルには今後も役所などで取得した書類を適宜収納しますので、ポケットが満杯にならないように気を付けながら収納してください。

評価証明書の原本など再取得に手間がかかるものについては、紛失防止のためコピーを持ち歩き、原本は会社に保管するなどした方がよいでしょう。また、委任状代わりに使用するために媒介契約書の原本を収納している場合は、くれぐれもA4ファイルを紛失しないようにしてください。

このA4ファイルを常時携行する仕事のスタイルはどんな時でも取引中の物件について対応できるというメリットがあるものの、取引中の物件数が多い場合は持ち運ぶ重量が増えるというデメリットもあります。

取引中の物件が4物件を超えた場合は、紙資料が収納されているA4ファイルは会社に保管しておき、iPadなどのタブレットで写真を撮影し、持ち運ぶのでも構いません。

効率よく仕事をするために、大切なのはいつでも手元に情報があり調べられることです。物理的なファイルがあるのが最もわかりやすいですが、重量的に問題がある場合はIT機器を活用し

A4ファイルへの入れ方

“重要なモノ順”と“使うモノ順” で収納する

背表紙にはラベルシールで物件住所、物件名を記載

	入れるモノ（例）	この並びである理由
前半に使う／重要なもの順	1. マイソク・レントロール	……一目でその物件とわかるため
	2. 媒介契約書	……役所等ですぐ取り出せるように
	3. 売契・重説（作成中）	……役所等ですぐ取り出せるように
	4. 登記簿等	……お客さんにすぐ説明できるように
	5. 評価証明	……再取得に手間がかかる
	6. 建築確認関連	……再取得に手間がかかる
	7. 道路関係資料	……再取得にやや手間
	8. ライフライン資料	……再取得にやや手間
	9. ハザードマップ 他	……再取得にやや手間
後半に使う	金融機関関連書類等 決済関連書類等 （精算書、金種、領収書）	……後々使用する
	最終ページ	……予備として空けておく

て次善の策を講じましょう。

なお、このA4ファイル内には、お客さんの個人情報が含まれないように注意してください。例えば免許証のコピーや住所氏名などが記載された書類などは黒塗りするなどしてファイルに収納しておけば、万一の紛失にも備えることができます。

情報保護の観点から言えば、パスワードロックのかかるiPadなどのタブレット端末の方が優れていますので、あえて電子化して持ち運ぶというのもよいでしょう。

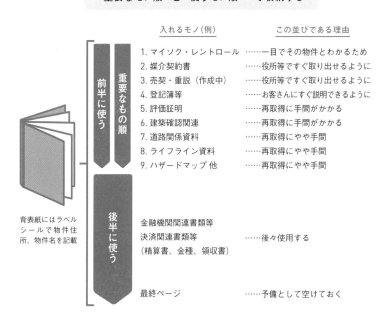

9 法務局に行くのは、閉鎖謄本を取得する時だけ

これまで散々ネットでできることはネットで済ますということをお伝えしましたが、1つだけ法務局（登記所）に足を運ばなくてはならない場合が存在します。

それは〝閉鎖謄本〟を取得する場合です。〝閉鎖謄本〟とは登記簿が電子化される以前の手書きの登記簿で、オンライン上に掲載されている以前の記録が載っているものです。

登記簿の電子化は1988年から20年の歳月を経て2008年に完了しており、現在ではほとんど全ての登記簿はオンラインで取得することができます。しかし、オンラインで取得した登記簿の記録は、電子化時点で最新のデータからしか記録されておらず、例えば昭和30年ごろの記録などは記載されていない場合もあるのです。

そのため、古い所有者との関係を調べたい場合は、すでに閉鎖された電子化以前の登記簿謄本、すなわち〝閉鎖謄本〟を取得しに行かなくてはならないというわけです。この〝閉鎖謄本〟は、当然ながら紙の謄本なので、物件を管轄する法務局に行ってコピーをもらわなくてはならないのです。

〝閉鎖謄本〟を参照する理由は様々ですが、現在の所有者がどのような経緯でその物件の所有者

■閉鎖謄本（例）

土地（表題部）

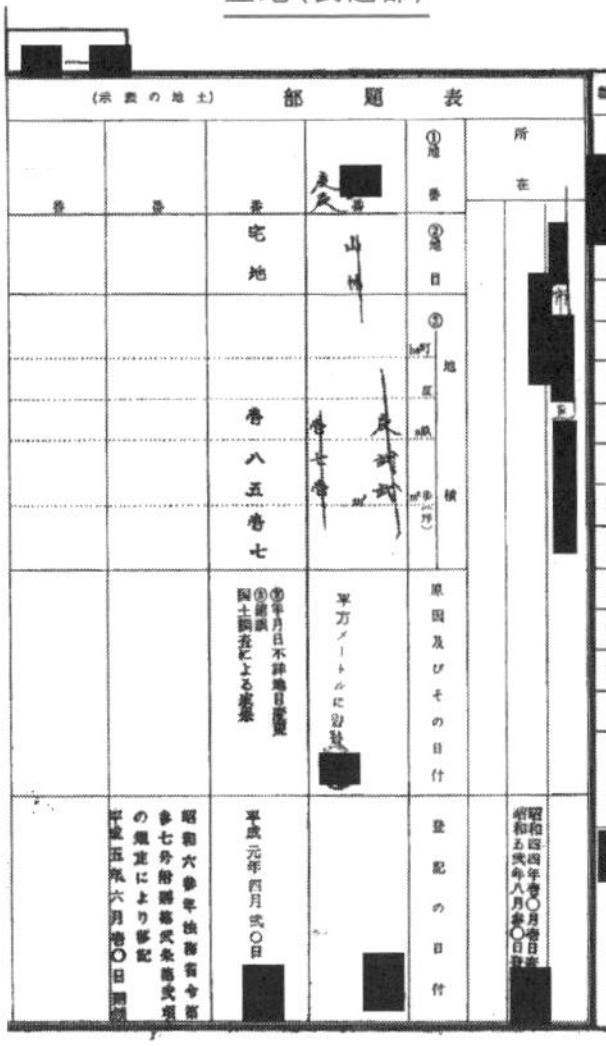

建物（表題部）

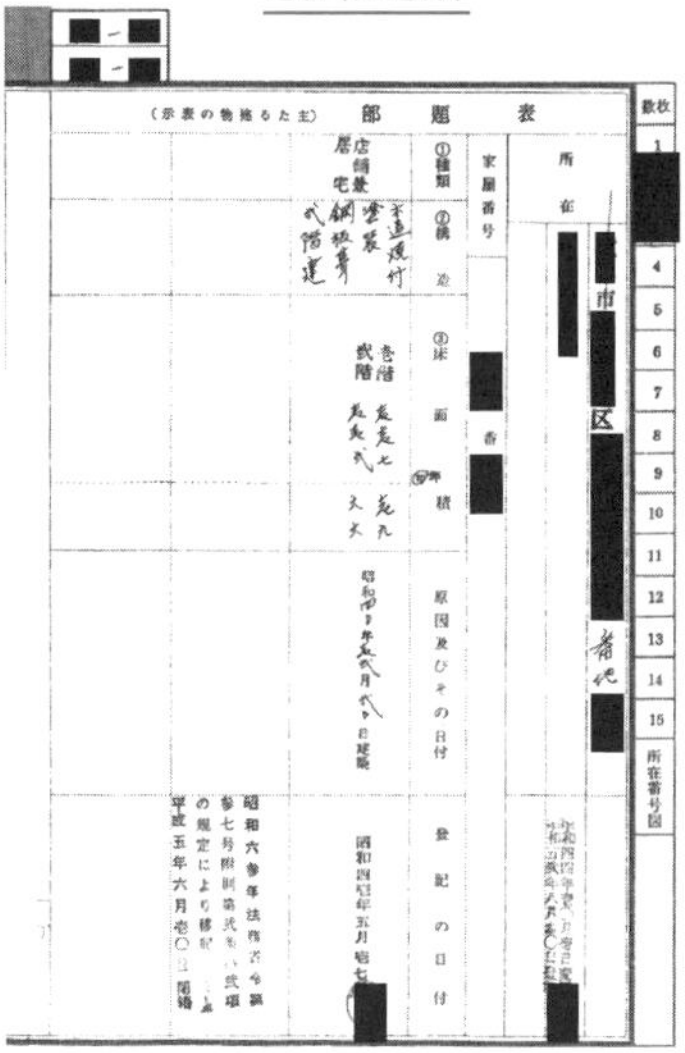

となったのか、過去その土地がどのような使われ方をしてきたのかなどを把握するために用います。

とはいえ今現在では一部の権利関係に矛盾があり電子化されなかったもの以外の登記情報は全てオンラインで確認できますので、登記情報を取得するために法務局に行くことはまれなことだといえます。

3 絶対に必要な物件現地調査

1 現地調査の必携4アイテム

物件について大まかにネットで調べ終わったら、現地調査に向かいます。現地調査に向かう前にはグーグルストリートビューで物件をあらかじめ見ておきましょう。

現地調査ではネットで取得した公図や地積測量図、グーグルマップを見ながら場所を特定します。一般的に住所と呼ばれる〝住居表示〟は、あまり正確ではありません。例えば○○町1丁目1番地1号に三軒の家が建っており、どれも同じ住居表示ということもあります。その場合、三軒のうちどの家が今回の売買物件なのか、公図とグーグルマップを交互に見ながら特定しなくてはならないのです。

ごくまれに、公図と登記簿で把握していた物件の位置が若干異なり、物件が特定できないこともありますので、あらかじめ売主や売主側業者に場所や物件を特定できる写真などをもらっておく方がよいでしょう。

物件を見に行く際には、**メジャー**、**デジカメ**、**スコップ**、**物件A4ファイル**の4つのアイテムを持参しましょう。

メジャーは物件の間口を測ったり、前面道路の幅員を測ったりとかなり重宝しますので必ず買いましょう。100均で売っている5メートルのもので構いません。私は自宅やオフィス、バイクや車の中にそれぞれメジャーを置き、いつでも使えるようにしています。

次にデジカメですが、こちらも物件調査に必携のアイテムです。マイソク掲載用の写真や物件の隣地との境目、特に物件の四隅にある境界標をしっかりと写真に収めます。その他、物件の破損個所や不明な設備、残置物などがあれば適宜写真を撮ります。必要なときに売主や買主に説明できるように証拠写真を撮っておくのです。

スコップ（ショベル）については、園芸用の小さなものでできればステンレス製のものがよいでしょう。スコップと呼ぶかショベルと呼ぶかは、地域によって異なるようですが片手で使える小さなものをイメージしてください。

このスコップは、先ほどの境界標の写真を撮るときに活躍します。地積測量図上に境界標が存在すると記載されているにもかかわらず、現地に行くと境界標が見当たらないことがあります。

現地調査必携アイテム

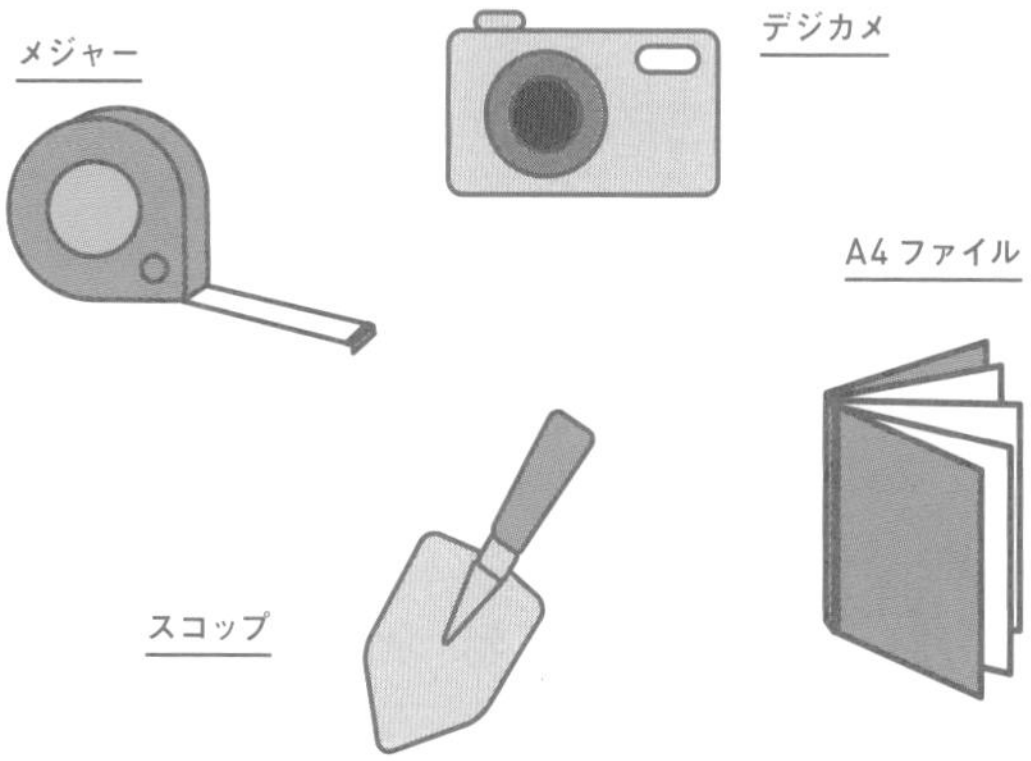

現地調査時には、これらの４つを必携しよう！

この場合は、まず地面の下を疑います。特に裏庭などは土が堆積し境界標が埋まってしまっていることが多々あります。その場合、スコップで数十センチほど掘り返すと、結構な確率で境界標が出てくることがあります。

地面がコンクリートで固められていたり、ブロック塀の下敷きになっており境界標が確認できないなどの理由がないのであれば、できるだけ境界標を探す努力をしましょう。

最後に物件のＡ４ファイルです。こちらは公図や地積測量図などを収納しているファイルなので、物件調査時には必ず持参しましょう。オフィスに戻ったら現地で撮影した境界標などの写真を印刷し、Ａ４ファイルに収納すればなおよいでしょう。

2 あえてスマホカメラではなくデジカメを使う理由

前節でご紹介した必携アイテムのうち、デジカメは最近ではスマホに置き換わりつつあります。しかしあえて私はデジカメをおすすめしています。

その最も大きな理由は、デジカメであればシャッター音が消せるからです。日本のスマホのカメラは、シャッターを切る際に強制的にカシャッという音が鳴り響くようになっています。不動産の現地調査時に写真を撮っていると、このシャッター音は意外にうるさく感じるのです。

特に、閑静な住宅街だと、自動車の騒音や生活音もない中で、スマホカメラの音だけが鳴り響きとても目立ちます。またアパートなどの集合住宅では、廊下などでカシャカシャと音がしていると、入居者が音に気づいて部屋から出てきたりし、バツの悪い思いをします。

もちろん、オーナーに事前に許可をもらっていることを説明すれば、普通は問題ないのですが、そのような事情は、そもそも入居者や近隣住民には関係のない話ですし、自宅周辺で写真を撮られること自体、あまり気持ちのよいものではないと思います。

写真撮影に厳しい昨今ですので、できるだけ入居者や近隣住民とのトラブルは避けたいものです。そのため、シャッター音を消すという機能は必須だと考えています。

それ以外で、デジカメを使う理由は広角レンズが使えるという点です。特に室内などの物件写真を撮る際には、できるだけ広く見えるように写真を撮らなくてはなりません。そのときに用いるのが広角レンズです。同じ広さの部屋を撮影したとしても、通常のスマホに比べて何倍も広く見えるように撮れるのはデジカメです。一部のスマホで超広角のものも出始めましたが、そのようなスマホは、まだまだ高額ですので誰にでもおすすめできるとは言い難いです。

その他、室内撮影には三脚が必須ですが、デジカメであれば汎用的な三脚が利用できるのも優れている点です。遠いところをズームで撮るという点においてもデジカメの方が優れている点だと言えます。

写真撮影後にPCにデータを送る際にも、デジカメであればSDカードなどをPCに挿入してすぐにデータをやりとりできますが、SDカードの使えないスマホなどはデータのやり取りに難儀します。

これらの理由から基本的にはデジカメをおすすめしているのです。

ただし、スマホの方が1つだけ優れている点もあります。それは、撮影している姿が仰々しくないという点です。物件の写真を撮る際に、スマホを取り出して片手でパシャっと撮影するのと、カメラを構えてカシャっと撮影するのは、前者の方がより気軽に見えるでしょう。

ですので、1~2枚の写真撮影であればスマホの方が入居者や周辺住民からあまり不審に思わ

デジカメとスマホそれぞれのメリット・デメリット

	メリット	デメリット
デジカメ 	▶シャッター音が消せる ▶ズームが使える ▶広角で使える ▶簡単にデータをPCに送れる ▶フラッシュが使える ▶三脚が使える（室内撮り等）	▶手荷物が1つ増える ▶撮影している感じが仰々しい
スマホ 	▶手荷物が1つ減る ▶撮影しても仰々しくない	▶シャッター音がうるさい ▶ズーム機能が弱い ▶広角機能が弱い ▶データをPCに送るのが大変 ▶フラッシュが弱い ▶三脚が使えない

れないかもしれません。また、スマホにとても詳しい人であれば、シャッター音を消せたり、ズーム機能がついているスマホを使えたりするかもしれません。

絶対にデジカメでなくてはダメというのではなく、自分自身のスマホ知識と照らし合わせて、メリットの多い方を用いてください。

4 現地調査のポイント

1 物件の状況、周辺の状況、管理の状況

現地調査のポイントは、物件の状況、周辺の状況、管理の状況の3つの観点から見ていくことです。

物件の状況とは、建物の状態や設備の状態のことです。例えば、クラックやヒビワレ、水漏れや塗装の状態、サビの状態、境界標の有無などを把握します。設備の面ではガス設備がプロパンなのか都市ガスなのか、電気メーターや水道メーター、エレベーターがあるのか、駐車場、駐輪場があるのかなどを確認し、それぞれ写真に撮影しておきます。

周辺の状況では、物件の前面道路との間口や幅員は十分か、セットバックがある場合そのおおよその面積、夜間に街灯がつくかなどの物件周囲の治安面から、駅までの距離やスーパー、コン

現地で見るべき３つのポイント

現地調査の視点

1. 物件の状況

建物の状態
- クラック、ヒビワレ
- 水漏れ、水跡
- 板・壁の破損、汚れ
- 鉄部分のサビ
- 階段・廊下の広さ、状態
- ペンキ塗装の状態
- 防水塗装の状態

設備の状態
- ガス設備（都市ガスorプロパン）
- 電気メーター
- 水道メーター（一括か個別か）
- エレベーターの有無、状態
- 洗濯機置場（外か内か）
- ベランダ、物干し竿の有無
- 駐輪場、駐車場の有無、広さ
- 共同ゴミ捨場の有無、広さ

2. 周辺の状況

物件の周囲
- 境界標はあるか
- 道路との間口は十分か
- 道路は広いか
- 夜間でも道路は明るいか
- 自然環境はどうか

周辺の設備
- 駅までの距離
- スーパー、コンビニまでの距離
- 学校、公園までの距離
- 駐車場までの距離
- 墓・火葬場・○○事務所がないか

ハザード関連
- 河川からの距離、海抜m
- 傾斜地、ガケ、埋立地
- 救急車両が通る道幅か
- 交番は近くにあるか

3. 管理の状況

入居状況
- 電気メーター回転によるチェック
- 郵便受けに名前があるか
- 新聞受けに目張りがあるか
- 近所からのクレームはないか

物件管理状況
- 清掃は行き届いているか
- 共用部に大量の私物がないか
- ゴミ捨場は清潔に保たれているか
- 窓ガラスに割れはないか
- 窓ガラスにカビはないか
- 自転車は雑然と置かれていないか
- 異音・異臭を出していないか
- 草木の状況
- 水たまりはできていないか

ビニ、公園、学校、駐車場など各種生活施設、墓や火葬場などの忌避施設の有無などをチェックします。また、近くに河川がある場合は、そこからの距離や海抜mなどをチェックします。海抜mは河川の堤防などに記載されている場合があります。ガケ地などは物件周辺にガケ条例に関する掲示がある場合はその内容なども写真に収めておきましょう。そのほかハザードマップに記載されている内容を踏まえて現地を確認します。

取引する物件がアパートのような賃貸物件の場合は、これらに加えて管理の状況をチェックします。入居者が実際にいるか電気メーターや新聞受けなどをチェックするとともに、近所からクレームがないかなどをチェックします。また、物件の共用部の清掃は行き届いているか、共用部に大量の私物が置かれていないか、雑草がはびこっていないか、自転車は整列して置かれているかなどをチェックします。

これらの3つの観点から、重要事項説明書に記載するべきものや、記載はしないものの売主に改善を促すもの、買主にアドバイスすべきものなどの情報を入手するのが現地調査の目的です。

2 境界標の見方、探し方 〜測量図から探す、スコップの活用、塀の上チェック

現地調査において必ずチェックし、写真を撮る部分は境界標です。境界標は金属のプレートだったり、コンクリートなどでできた杭だったりします。物件の隅にひっそりと設置してあるかと思います。

この境界標を探すには、あらかじめ登記簿と同時に取得した地積測量図を参照しておきます。地積測量図上に境界点の印（多くの場合は○）がついていれば、地積測量図作成時にはその場所に境界標があったということがわかります。

境界標の種類は金属やコンクリートなどが多く、地積測量図に凡例が載っている場合もあります。

築年数が古い建物の場合、地積測量図には境界標のマークがあるにもかかわらず、現地で境界標を見つけられないときがあります。

そういうときこそ、スコップの出番です。裏庭など地面が砂や土の場合、境界標が地面の中に埋まっていることが多々あります。

その場合、スコップを用いて少しだけ地面を掘り返してみましょう。土の中から境界標がひょっ

こり出てくるかもしれません。

また、地面だけでなくブロック塀の上に境界標が移設されていることもあります。その場所に境界標が設置され後々にコンクリで固めたり、塀を立てたりされ、ぱっと見では見えなくなっている境界標もありますので、可能な限り探してみましょう。

なお、地面を掘り返すときはあらかじめ売主に許可をとっておきましょう。この境界標が全ての地権者との間に（書面にて捺印済みで）確定していることが最も望ましいですが、古くからの住宅街ですと隣との間に境界がない場合や、境界標はあっても未確定（書面にて捺印していない）の場合もあります。

確定測量を行い、お隣さんと捺印済みの書面にて境界を確定した方がより土地を売りやすくなりますので、売主さんに確定測量を打診してもよいでしょう。ただし確定測量にはおおむね50～100万円弱の費用がかかります。この費用を嫌って、測量をされない売主もいます。そういう場合は、確定測量をすると売りやすくなるし、費用は不動産の売却経費になりますよとアドバイスしてみましょう。

また、確定測量をしないのであれば、重要事項説明書と本契約に確定測量は行わないということを明記し、売買上のトラブルとならないようにしましょう。

地積測量図と現地の境界標を照らし合わせる

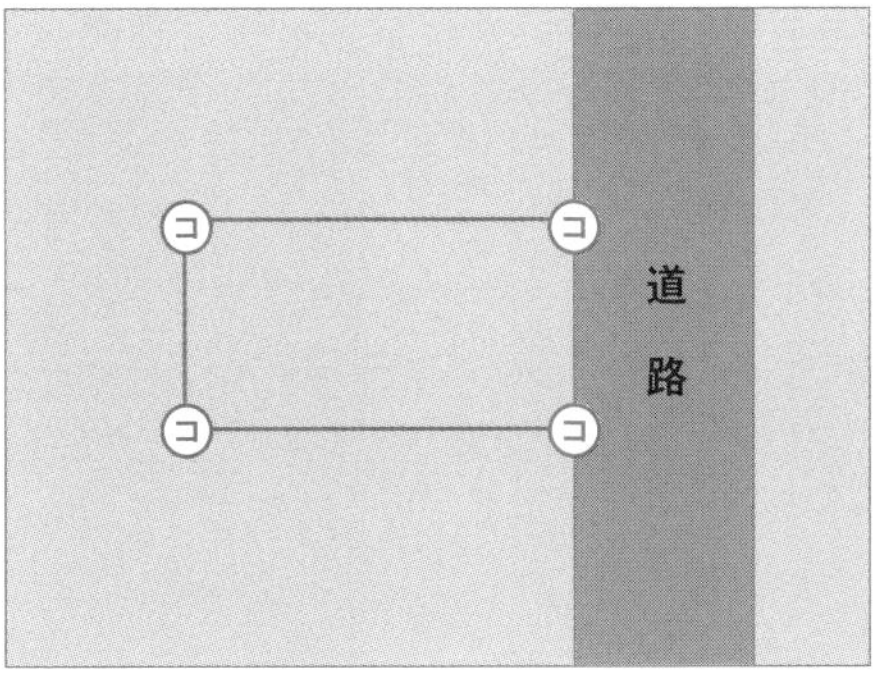

凡例

境界点	境界標の種類
(石)	石杭
(金)	金属標
(コ)	コンクリート杭
(刻)	刻ミ
(鋲)	鋲
(木)	木杭

地積測量図の境界点に(コ)のようなマークがあれば境界標が存在するということを表す

パッと見つからない場合、
土を掘り返すなどして探す必要がある

境界標の例

地面に埋まっていた境界標（コンクリ）

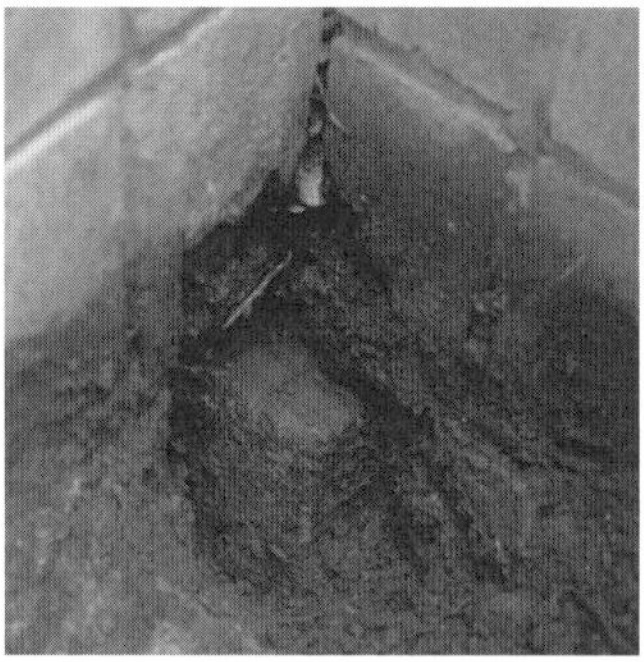

ブロック塀の間に挟まっている境界標（金属）

塀の上にある境界標（金属）

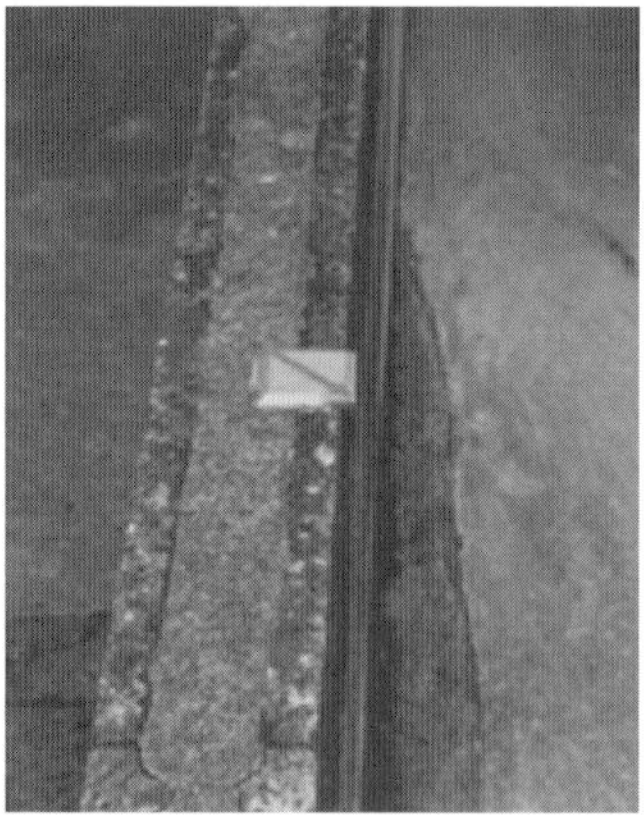

コンクリの上にある境界標（金属）

3　写真撮影のポイント

現地調査に必須のデジカメですが、写真撮影には大前提があります。それは何に使うかを意識して撮るということです。

例えば、自分自身が後ほど重要事項説明書を作成する際に参照するために撮るのであれば、写真映りは気にしなくてもよいでしょう。プロパンガスがあるということを記録として写真に収めておきたいだけであれば、多少ぶれていても、画像が暗くても問題ありません。

しかし、その写真をマイソクに載せたり、ポータルサイトにアップしたりする目的で撮るのであれば、できるだけきれいに見栄えのよい写真を撮る必要があります。全ての写真において気合を入れた撮影をするのは大変ですので、メリハリをつけて何に使うか意識して撮影してください。

ここでは最低限これだけに気を付ければ、マイソクやポータルサイトでの見栄えがよく、アクセス数がアップするような写真が撮れるというポイントをご説明します。

ポイントその1は**〝晴れの日に撮る〟**です。ポータルサイトやマイソクでは物件の外観写真を載せることが多いですが、この写真は青空のきれいな晴れの日に撮るのがベストです。プロの写真家は露出の関係で曇りの日を好むのですが、ポータルサイトで見栄えするのは明らかに青空です。お客さんはマイソクやポータルサイトの写真をパッと見て1秒で印象を決めるため、背景が白っぽい曇り空ではなく澄み渡った青空の方が望ましいのです。

ポイントその2は**〝縦と横を意識して撮る〟**です。写真撮影において重要なのは、縦の線が垂直に、横の線が水平になっていることです。例えば、ドアを撮影するときに斜めにゆがんでいたり、台形になっていたりするよりも垂直・水平になっている方が、ぱっと見の印象がよくなります。垂直・水平を意識して撮るのは一見難しそうですが、カメラの設定で液晶画面に縦横のグリッド線や傾きを検知する水準器を表示するようにして撮影すれば、誰でも簡単に撮れるようになります。もちろん物件全体など大きなものを遠くから撮影する場合はどうしても斜めになったり台形になったりすることはあるかもしれません。その場合は例え垂直が斜めになったとしても、水平はしっかりと押さえて撮影してください。

最後にポイント3は**〝室内では三脚を使って胸の高さで撮る〟**です。室内は室外と異なりかなり暗いことも多く、手持ちで写真を撮ると手振れなどにより、あまりきれいな写真が撮れません。そんなときには簡易の三脚を用います。

また、物件の室内は基本的にできるだけ広く映すのが原則ですので、後ろの壁ギリギリまで下がって撮影しなくてはなりません。手持ちで撮影すると自分の体が邪魔になり壁際まで下がることができません。そういう場合にも三脚を用いればカメラを壁ギリギリまで寄せて撮影すること

写真撮影の大前提

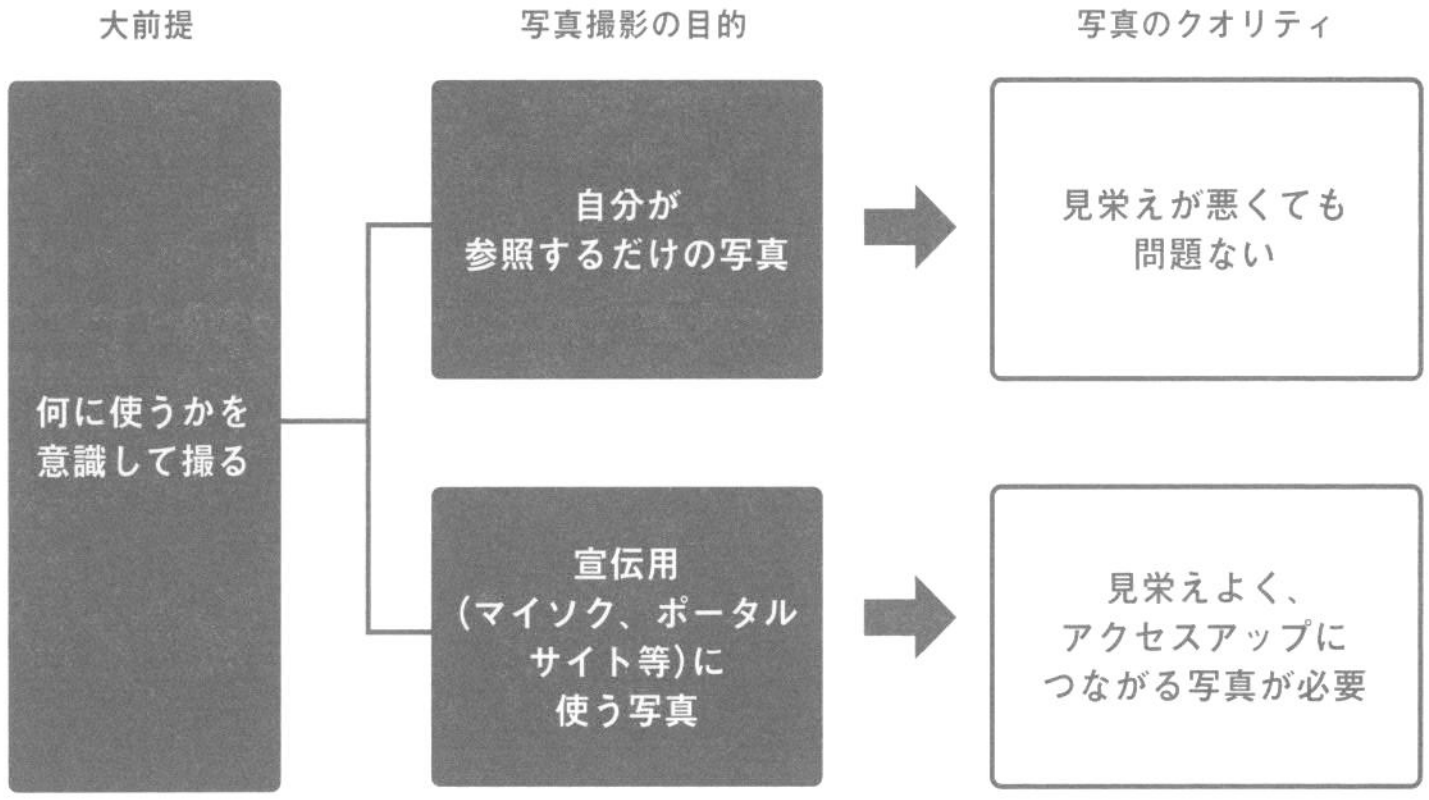
大前提
写真撮影の目的
写真のクオリティ
何に使うかを意識して撮る
自分が参照するだけの写真
見栄えが悪くても問題ない
宣伝用(マイソク、ポータルサイト等)に使う写真
見栄えよく、アクセスアップにつながる写真が必要

ができます。

また、撮影する際は胸の高さで撮影することで床の広さを強調し部屋を広く見せることができますが、手持ちで無意識に撮影するとどうしても自分の顔の高さ(目線)の位置にカメラを構えてしまいます。その点、三脚はあらかじめ高さを自分の胸の高さに設定しておけば見栄えのする写真が苦労せずに撮影できるのです。

昨今では、ポータルサイトの写真で購入するかを決めてしまうお客さんが増えています。たかが写真と侮らず、1つ1つのクオリティに気を付けて撮影してください。

写真のクオリティを上げるポイント

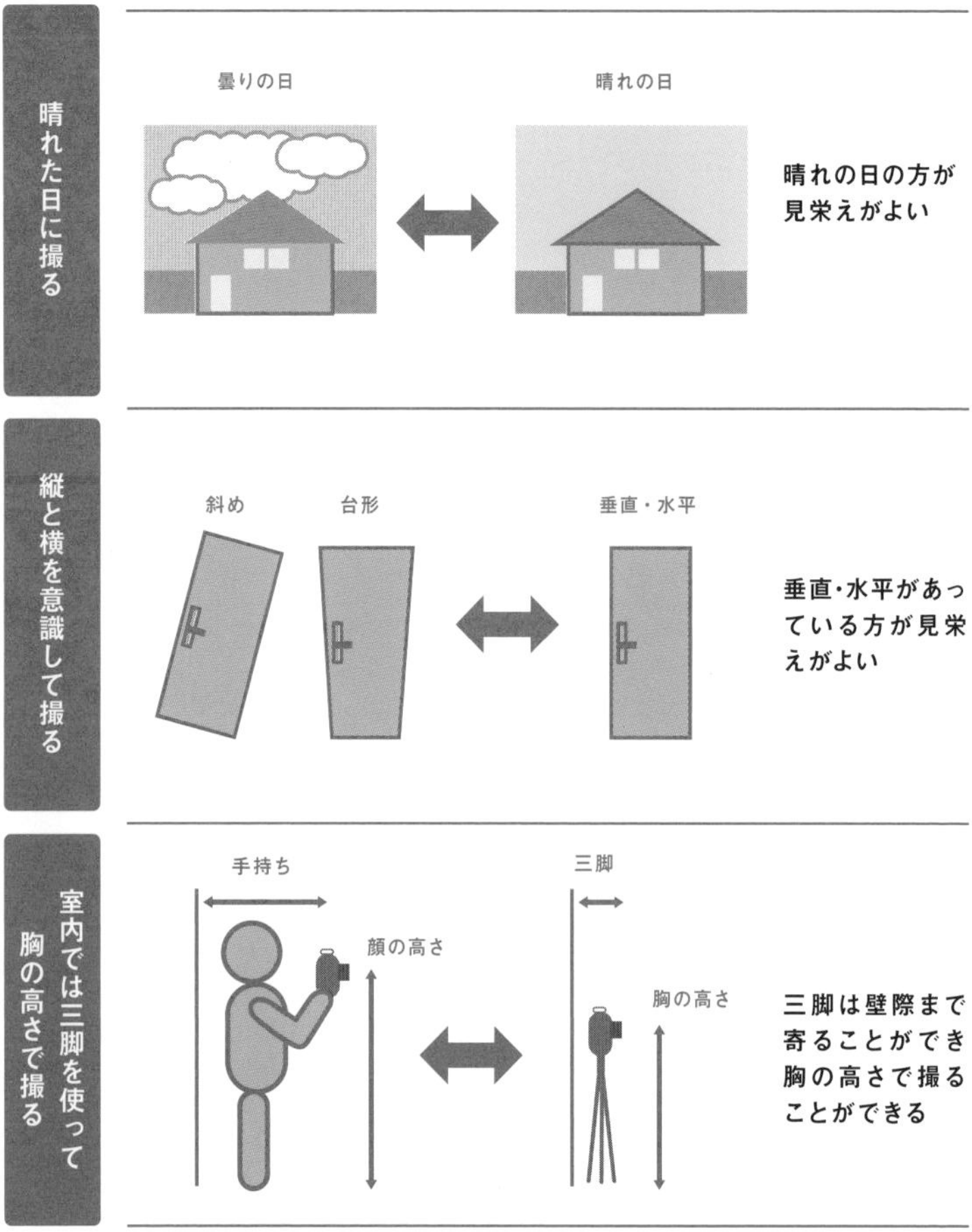

晴れた日に撮る
曇りの日
晴れの日
晴れの日の方が見栄えがよい
縦と横を意識して撮る
斜め
台形
垂直・水平
垂直・水平があっている方が見栄えがよい
室内では三脚を使って胸の高さで撮る
手持ち
顔の高さ
三脚
胸の高さ
三脚は壁際まで寄ることができ胸の高さで撮ることができる

4 ご近所さんへのあいさつとヒアリング

現地調査で大切なことに、近隣住民へのヒアリングがあります。現地で物件調査をしているときに近隣の方が出てこられた場合は、思い切ってあいさつをしましょう。近隣住民の方は最初、不審者を見るような目でこちらをのぞき込んでいるかもしれません。そりゃそうです。平日の昼間にスーツ姿のビジネスマンがカメラを片手に普通の住宅街にいるのですから、不審に思うのも無理はありません。

ただ、多くの場合はこちらから名乗れば特にそれ以上、追及されません。またせっかくあいさつしたのだから、その物件についていくつかヒアリングするのがよいでしょう。特に中古物件の場合、近隣トラブルはないかなどを住民の口から直接聞けるよい機会となります。

また、間口が狭くギリギリ2メートルしかない場合で、なおかつ境界標が見当たらない場合は、隣人との間でどのような取り決めがされているか、隣地所有者に直接ヒアリングする必要があります。というのも、たった数センチ間口の境界がズレるだけで再建築ができない土地になる可能性があるからです。再建築可能な間口を確保する取り決めを隣地所有者と行っている経緯があるのか、隣地との境界トラブルがあるのかは当事者同士でないとわからないため、直接隣地の家にあいさつに行き確認する必要があるからです。

ご近所さんとお話しすると、近隣のトラブルから、駐車場でのトラブル、ゴミ出しでのトラブルや、夜間の騒音、またアパートなどでは、人が亡くなったことがあるなど様々な情報をヒアリングすることができます。

近隣住民の方を見かけたら、積極的にあいさつしてみてください。

5 法務局は行かなくてよいが、役所は行かなければならない

1 役所調査は重要事項説明書を作成しながら行う

インターネットは便利なもので、不動産業者の仕事の仕方を劇的に変えました。これまで行かなくてはならなかった法務局にも、あまり足を運ばなくてもよくなりました。しかし、そんな時代でも、役所は必ず訪れなくてはなりません。

というのも、例えネットでほとんどの情報が取得できたとしても、役所にはそれ以上の情報が蓄積されているからです。ネットで取得できる情報には限界があったり、誤りがあったりするため、役所にその情報の裏付けを取りに行く必要があるからです。

最近の役所は、とても親切です。質問すれば適切な答えを探してくれますし、邪険に扱われることはないので、新人でも安心して行くことができます。

ただし、役所は自分の部署の聞かれた情報以外は、あまり答えてくれません。そのため、「どこに何をどのように」聞くかをはっきりとさせていかなくてはならないのです。要するに、漠然とではなく、聞くべきポイントを明確にして行かなくてはならないということです。

では、聞くべきポイントを明確にするための方法ですが、新人に最もよいのは、〝重要事項説明書（重説）〟のドラフトを作成してから行くということです。次章で詳しく記載しますが、重説は全宅や全日のひな型を用いることで新人でもある程度作れます。ですので、まずはネットで手に入れた情報などから、わかるところだけ作成し、わからないところは飛ばして一通り重説のドラフトができたら、役所に行くのです。

役所では、そのわからない箇所について担当者に質問していきましょう。慣れていないと質問内容が不鮮明になる場合がありますが、そのときは作りかけの**重説のドラフトを役所の担当者に見てもらいながら、この部分の情報が欲しいのですと尋ねるとよいでしょう。**

役所の担当者は毎日多くの不動産業者に類似の質問をされていますので、その箇所を見ればおおよそ、何を答えてほしいのかがわかります。まずは、その情報を聞き取りましょう。さらに、その箇所の情報について「その他に注意すべきことはありますか」とダメ押しで聞いてみましょう。すると、担当者にもよりますが、その物件のその部分について注意すべきことを教えてくれる方もいます。

本来、その他に注意すべきことについては、不動産業者である自分自身の言葉で質問しなくてはなりません。主なポイントについては次節にて説明します。ただ、新人のときに役所で何を聞いてよいかわからなくなったら、しつこくいろいろ留意点を聞いてみるのがよいでしょう。役所の方も繁忙期などでなければ、しっかりと教えてくれるはずです。

2 役所調査で主にやること ～役所は親切！ 礼儀正しく振る舞おう

重説のドラフトができたら役所調査に行きましょう。ここでいう役所は、市区町村の役所及び水道や税務署関連施設の総称を表します。市区町村により管轄する部署名が異なりますので、問合せる際には受付でその役所での課部署名を確認してください。また、役所に行くときには必ず物件資料を全て格納したA4ファイルを持参してください。

役所調査で主にやることは、現地調査やネット調査で判明できなかったことの調査と、判明したことの裏付けをとることの2点です。

不動産業者が問合せる内容としてよく出る主なものは、下記の7つです。

① 道路の種別の確認

② 建築関係の確認

③用途地域・計画道路・区画整理の確認
④宅地造成・土壌・文化財包蔵の確認
⑤評価証明・公課証明の取得
⑥ライフライン（上下水道等）の確認
⑦ハザードマップの入手（購入）

1つ1つ見ていきましょう。

①道路の種別の確認

物件の前面道路の種別を確認するのは〝道路課〟です。前面道路が公道か私道か、道路と敷地との間の境界（官民境界という）はあるのか、道路の幅員は何メートルかを確認するとともに、道路台帳現況平面図や道路との境界図の写しを取得できます。

道路台帳現況平面図はネットでも取得できる場合がありますので、ネットで参照できる場合はあらかじめ印刷して持参すれば場所の特定が容易になります。

②建築（再建築）関係の確認

取引対象の土地や建物について、建築（再建築）関係の確認をするのは〝建築課〟です。ここで最も重要なのは、その土地に建物を建築（再建築）できるのかを判別させることです。建築する場合に、何らかの制限や条件があるのかないのかについても併せて確認します。

前面道路が位置指定道路の場合は、位置指定道路図を取得します。位置指定道路図については内容を役所の方と見ながら、その物件について建築（再建築）ができるかを確認してください。現状のままでは建築（再建築）ができない場合は、どういう条件を満たせば建築（再建築）できるようになるかを確認します。

中古物件の売買のようにすでに建物が存在する場合は、その建物の建築概要書及び台帳記載事項証明書、検査済証などを取得します。この書面の中に重要事項説明書に載せなければならない建築確認番号と検査済番号が記載されていますが、書面の画質が悪く数字が読み取れないこともありますので、その場で番号を役所の人と確認してください。

③用途地域・計画道路・区画整理の確認

物件が存在する土地の用途地域や計画道路などは〝都市計画課〟、区画整理がある場合は〝区画整理課〟に行きます。都市計画課では、事前にネットで調べた用途地域図を見ながら再度確認します。都市計画道路がある場合、計画決定日、番号、事業開始日と完了予定日の確認を行い計画道路図のコピーを合わせて取得します。計画道路図についてはネットで取得も可能ですので、事前に取得していき、役所の担当者に確認する方がよりスムーズにやり取りできます。区画整理課では、区画整理の内容、換地など精算の方法について確認します。

④宅地造成・土壌・文化財埋蔵の確認

宅地造成や開発許可について調べるには〝開発課〟、土壌汚染については〝環境課〟、文化財埋蔵包蔵地については〝教育課（文化課）〟に向かいます。

取引する物件が開発エリア内の場合、開発許可や宅地造成許可がとられているかを確認します。また物件の近くに大規模な開発エリアがある場合は、その内容をヒアリングします。

物件がかつて工場だった場合などは、土壌汚染がないかについて確認します。土壌汚染がある場合は土壌汚染対策法に基づく届出書類を入手します。

その土地が文化財埋蔵包蔵地に該当するかどうかは〝教育課〟等で確認できます。該当する場合は、建築時の手続き内容や費用について確認します。

⑤評価証明・公課証明の取得

物件の評価証明（または公課証明）を取得するためには、役所の固定資産税課（23区内は都税事務所）に行かなくてはなりません。

この評価証明は不動産売買において必須の書類であり、通常は物件の所有者でなければ取得できないものです。そのため不動産業者が所有者に代わりこれを取得するためには、所有者の委任状と自分自身の身分証（免許証等）を持参していく必要があります。

あらかじめ媒介契約書に委任条項を記載しているはずですので、媒介契約書の原本をＡ４ファイルから取り出し、先方に提示してください。また、取得漏れがないよう物件の登記簿を全て見せ、該当する地番と家屋番号全ての評価証明を取得するようにしてください。

⑥ライフライン（上下水道等）の確認

上水道、下水道などの確認については上水道局（課）、下水道局（課）に行きます。上水道局では、前面道路配管の有無、直径、敷地内引込管の直径などを確認し、上水道配管図、水道工事申込書などのコピーを取得します。上水道管についての確認には委任状が求められますので、媒介契約書の原本と自分自身の身分証（免許証）を持参していきましょう。

下水道局では、下水道の前面道路配管の有無、直径を確認します。また雨水は合流式か分流式かを確認します。ネットで事前に取得可能ですが下水道配管図などはここでも取得が可能です。

⑦ハザードマップの入手（購入）

近年の防災意識の高まりによりほとんどの自治体ではハザードマップを作成しています。役所に行ったときには必ず、これを入手しておきましょう。多くの場合は無料か１００円程度で購入することが可能です。またハザードマップは自治体によってはネットに公開されていますので、物件のあるエリアが該当するページをネットから印刷することで代替しても構いません。なお、ハザードマップを配布（販売）している部署については、自治体によって様々ですので、受付に行ってどこで入手すればよいか質問するのが手っ取り早いです。

これ以外にもケースバイケースで必要な調査が発生しますが、その都度、役所の方にどこの部署に行けばよいかを尋ねれば、多くの場合、親切に教えてもらえます。ただし、昼休みなど職員の一部が食事で離籍しているときには、昼食時間に残っている職員の数が少ないため、忙しいのか、あまり優しく教えてくれない場合があります。

ですので、役所に行くときは必ず昼食時間をさけましょう。また、午後の遅い時間は不動産業者で混みあっていることもあるので、行くなら午前中か昼食後の早めの時間がおすすめです。

役所調査リスト

部署	確認する目的	具体的な質問(例)	入手する書類
道路課	道路種別、境界、幅員	・この物件の前面道路の道路種別は何でしょうか。 ・道路番号を教えてください。 ・道路の幅員を教えてください。 ・道路境界があるか教えてください。 ・道路台帳現況平面図、境界図をください。	・道路台帳現況平面図 ・道路の境界図
建築課	建築(再建築)できるかなんらかの条件制限はあるか	・この物件は建築(再建築)可能でしょうか。 ・物件の前面道路は建築基準法上の道路でしょうか。 ・建築(再建築)するための条件、制限などはありますか。 ・どうすれば再建築できますか。	
	二項道路の確認	・二項道路の中心線はどこでしょうか。 ・セットバックは何メートル、センチほど必要でしょうか。 ・建築(再建築)時に必要な手続きについて教えてください	
	位置指定道路の確認	・位置指定道路の指定番号と幅員を教えてください。 ・位置指定道路申請図、位置指定道路台帳があればください。 ・位置指定の内容について教えてください。	・位置指定道路申請図 ・位置指定道路台帳
	既存建物の確認	・建築計画概要書、台帳記載事項証明書、検査済証をください。 ・建築確認番号、検査済番号を教えてください。	・建築計画概要書 ・台帳記載事項証明書 ・検査済証
都市計画課	用途地域の確認	・用途地域は○○で合っていますか。 ・複数の用途地域をまたがる場合は、どのように計算しますか。	
	計画道路の確認	・計画道路はありますか? ・計画道路の番号、計画決定日、事業開始日、完了予定日を教えてください。 ・計画道路図をください。 ・計画道路は、敷地のどの部分にどの程度の面積で重なるのか教えてください。	・計画道路図

部署	確認する目的	具体的な質問（例）	入手する書類
区画整理課	区画整理事業の確認	・この物件の区画整理事業について教えてください。 ・換地、精算方法について教えてください。 ・換地証明書はありますか。	・換地証明書
開発課	開発許可、宅地造成許可の確認	・この物件の開発許可、宅地造成許可について教えてください。 ・開発に関する図面のコピーをください。 ・この物件の周辺の開発について教えてください。	
環境課	土壌汚染の確認	・この物件について土壌汚染があるか教えてください。 ・土壌汚染対策基本法に基づく届出書類のコピーをください。	・土壌汚染の届出書類
教育課（文化課）	文化財埋蔵包蔵地の確認	・この物件について文化財埋蔵包蔵地かどうか教えてください。 ・建築時に必要な手続きや費用について教えてください。	
固定資産税課（都税事務所）	評価証明の取得	・（登記簿を見せながら）この土地・建物の評価証明をください。 ※委任状代わりの媒介契約書、自分自身の身分証（免許証）を持参	・評価証明書（公課証明書）
上水道局	上水道管の確認	・前面道路配管の径、敷地内引込管の径を教えてください。 ・上水道配管図、過去の水道工事申込書があればコピーをください。 ※委任状代わりの媒介契約書、自分自身の身分証（免許証）を持参	・上水道配管図 ・水道工事申込書
下水道局	下水道管の確認	・前面道路配管の径を教えてください。 ・雨水の処理は合流式か分流式か教えてください。 ・下水道配管図のコピーをください。	・下水道配管図
受付	ハザードマップの入手	・（受付にて）ハザードマップはどちらで取得（購入）できますか。	・ハザードマップ

第 4 章

楽々作れる重要事項説明書

1 不動産業で一人前とは「重説を作れること」

不動産の売買取引において一人前といわれるためには、重要事項説明書（重説）を作成できなくてはなりません。この重要事項説明書は物件の契約前に説明が義務付けられているものです。説明するのは宅地建物取引士の資格（宅建）を持つ人でなくてはなりません。しかし、作成に関してはこの宅建を持っていなくても可能です。そのため、作成自体は若手の社員が行い、説明は宅建の資格を持った上司が行うというパターンもあります。

もちろんベストなのは宅建を取得し作成、説明ともに自分自身で行うことですが、宅建の試験は年一回のため、合格するまでの数年は重要事項説明ができない状態になるかもしれません。

この重要事項説明書は売買される土地・建物の登記内容、法令に基づく制限、ライフラインなどの物件に関することや、売買金額、手付金、融資など取引条件に関すること、その他重要な事項をまとめた書面です。

この重要事項説明書に誤りや記載漏れがあり、その内容が買主の目的を達成できないものだっ

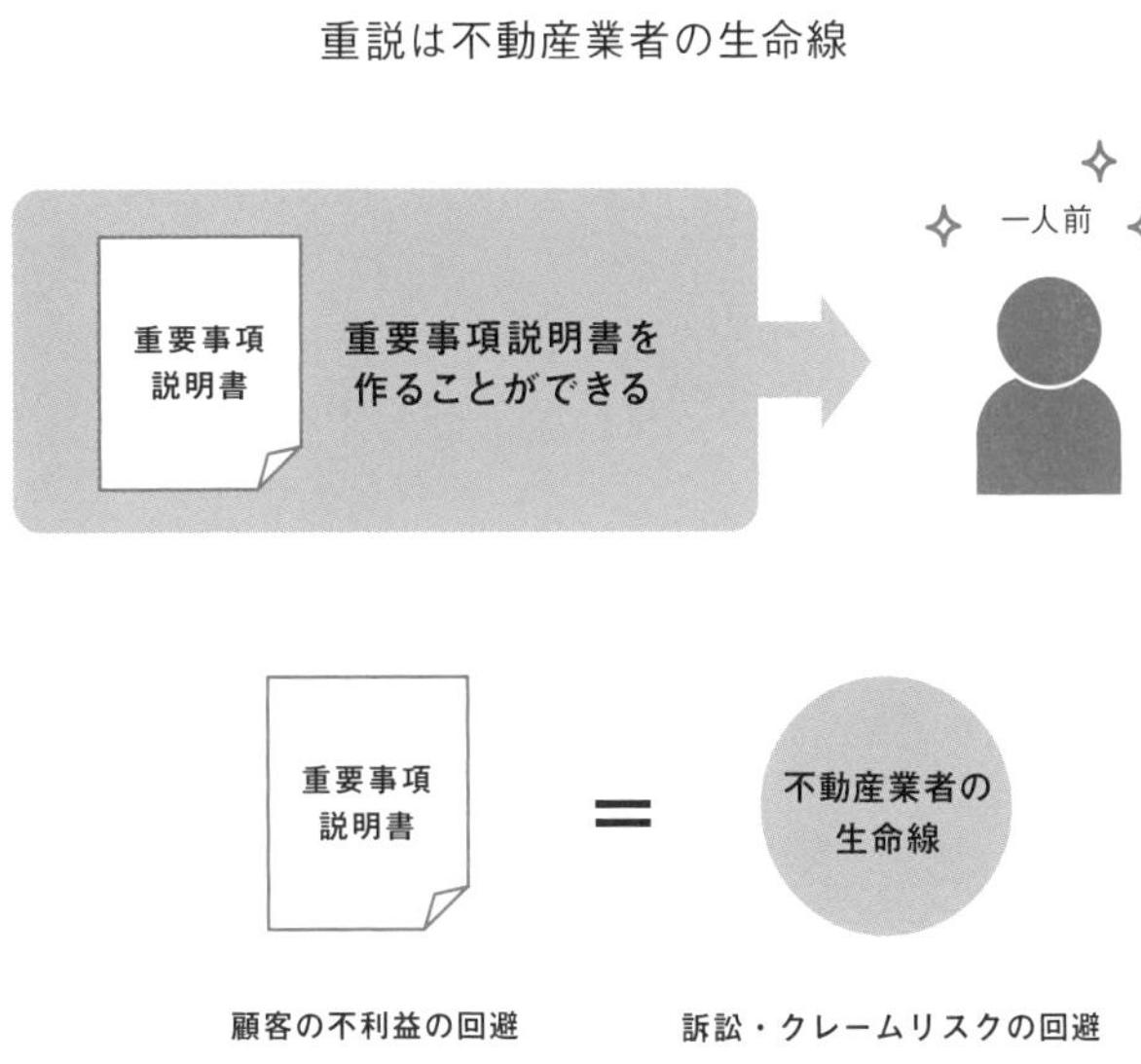

た場合、訴訟に発展することもあります。

そういった事態を防ぐために、重要事項説明書は正しく、記載漏れなく作り上げなくてはなりません。重要事項説明書でその物件の状態を買主に正しく説明し、署名捺印をもらうことで後々、説明した・説明されていないといったクレームや訴訟を避けることができるからです。

重要事項説明書、不動産業者の生命線と言えます。そのため、物件の状態を正しくチェックし、問題がある点については漏れなく重要事項説明書に記載しておかなくてはならないのです。

2 おびえなくても大丈夫！ 重説にはひな型がある

新人時代に上司から重説の作成を頼まれてどうしよう！と焦った経験を持つ方もいるかもしれません。優しい先輩がいれば作り方を教えてくれますが、皆が多忙な会社の場合は誰にも作り方を聞くことができず、一人で途方に暮れてしまうかもしれません。

そんなときでも安心してください。重説には〝ひな型〟があるからです。町の不動産屋さんであれば、ほとんどの場合、全宅もしくは全日という協会に所属しています。そして、この協会のホームページには必ず、重説や契約書を含めた不動産取引に必要な書類のひな型が配布されています。そしてその協会に所属する会社は基本的に、このひな型をダウンロードして取引に使います。すでに自社で使用しているダウンロード済みのファイルがあれば、それを用いてもよいでしょう。また、大手企業やフランチャイズに加盟している場合は、その企業独自あるいはフランチャイズで使用している重説のひな型があるのでそちらを使用してください。

ですから、あなたは一言「重説のひな型はどこにありますか？（ください）」とだけ上司や先輩

重説のひな型は這ってでも入手しよう！

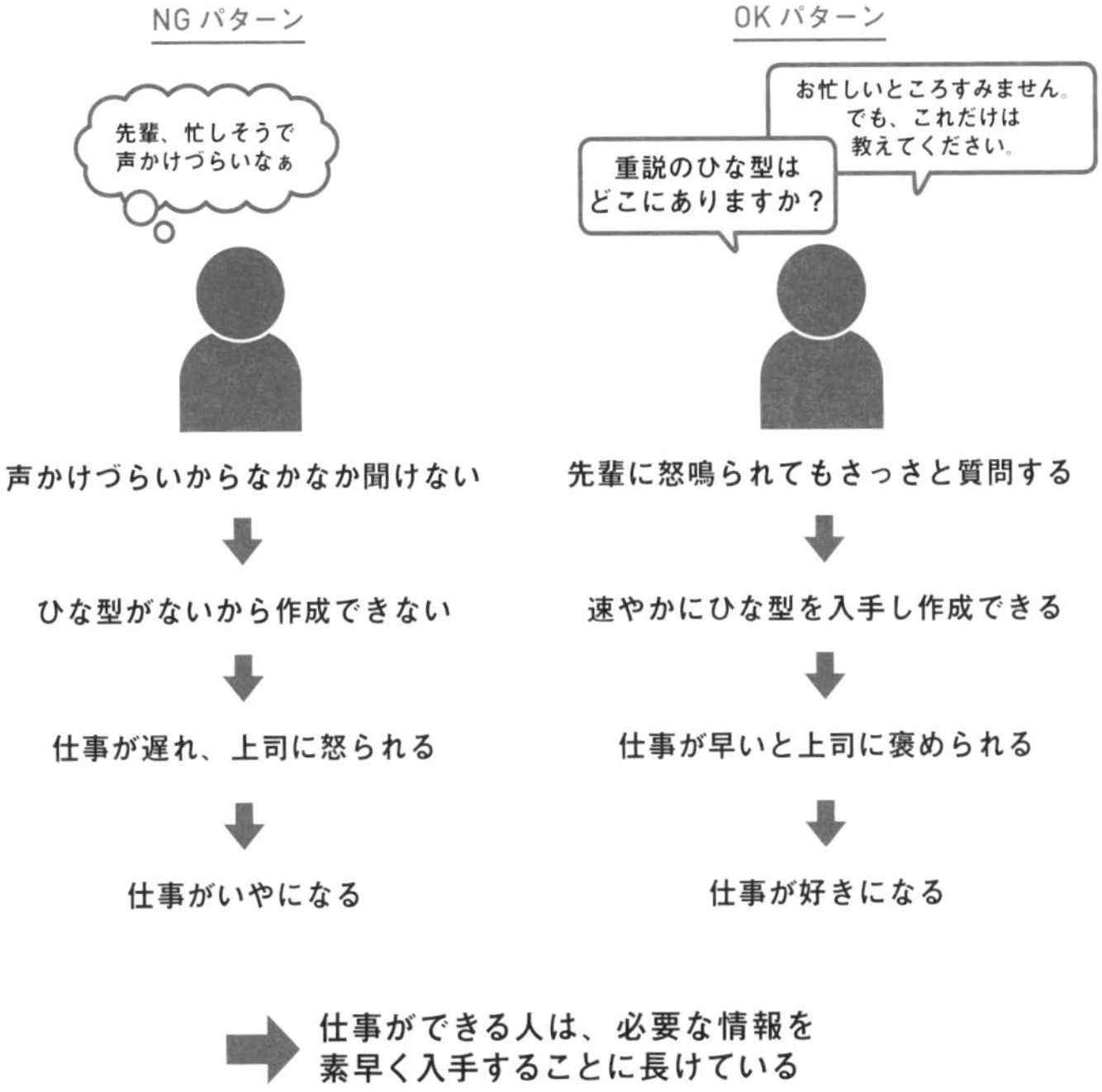
NG パターン
先輩、忙しそうで
声かけづらいなぁ
声かけづらいからなかなか聞けない
ひな型がないから作成できない
仕事が遅れ、上司に怒られる
仕事がいやになる
OK パターン
お忙しいところすみません。
でも、これだけは
教えてください。
重説のひな型は
どこにありますか？
先輩に怒鳴られてもさっさと質問する
速やかにひな型を入手し作成できる
仕事が早いと上司に褒められる
仕事が好きになる
仕事ができる人は、必要な情報を
素早く入手することに長けている

に質問すればよいのです。例え上司や先輩が多忙で声をかけづらかったとしても、この一言だけは早急に質問しなくてはなりません。そうしないといつまでたっても、作成作業を開始することができず、あなた自身が困ることになるからです。

上司からうまく重説のひな型のありかを聞き出すことができれば、準備は8割できたようなものです。あとはこのひな型に従ってどんどん内容を書き込んでいきましょう。

3 わからないところはネット、役所、関係機関で調べる

重説のひな型を入手したら、その時点ですでに取得している情報をどんどん書き込んでいきましょう。最初に登記簿を見ながら土地と建物の内容を書き写します。このとき、登記簿の記述通りに書き写すように注意してください。よくある記載間違いは数字です。例えば登記簿には漢数字で「五丁目」と書いてあるものをついつい「5丁目」とアラビア数字で書いてしまうといった内容です。アラビア数字だろうと意味は通じるのですが、登記簿の表記と異なるのは好ましくないため、一言一句同じになるように注意して記載してください。

次に注意するのが建物の所在です。登記簿上の土地の地番は「○番○」と記載されていますが、建物の所在には「○番地○」というように「番地」と記載されています。これを見落として、どちらも「○番○」にしたり、どちらも「○番地○」にしたりする誤りが頻発します。所在、地番、家屋番号、住居表示と似たような表記ですが、それぞれ異なるものですので登記簿に記載されている通りに正しく書き写してください。

まずは、重要事項説明書を上から順に埋めていき、わからないところは後々、役所などに行って聞いてくるというメモ書きを入れておきましょう。とにかく難しく考えず、わかるところだけ一通り作成してしまいましょう。

仕事のワザ

ネットからPDFファイルで登記簿を取得した場合、登記簿内の文字をコピー（CTRL+C）して、重説にペースト（CTRL+V）できる場合があります。書き間違いを防止するためにも、極力コピー＆ペーストで書き写す方がよいでしょう。

ただし、登記簿のPDFからそのままコピー＆ペーストすると、文字のレイアウトが崩れたり、文字フォントが変わってしまう場合があります。

そのため、登記簿からコピーしたら、一度、メモ帳にペーストし、メモ帳の中でレイアウトを修正して、それを再度コピーし、重説にペーストするという手順をとってください。

メモ帳を一度経由することで、文字フォントが変わったり、レイアウトが崩れたまま重説にペーストされることを防止できます。

重説作成時に間違いやすい点

土地

所　在	地　番	地目(登記簿)	地積(登記簿)	持分
○○区○○町五丁目	7番7	宅地	99.5 ㎡	1/1

漢数字を使うことに注意して!

土地の地番と建物の所在の違いに気を付けて!

建物

所　在	家屋番号	住居表示
○○区○○町五丁目7番地7	7番7の1	○○区○○町五丁目5番25号

メモ帳を経由してコピー&ペーストしよう

登記簿からコピーすると
レイアウトが崩れる!!
文字フォントが変わる!!

メモ帳でレイアウトを
整える!!

メモ帳からコピー&
ペーストすると、レイ
アウトや文字フォント
が変わらない

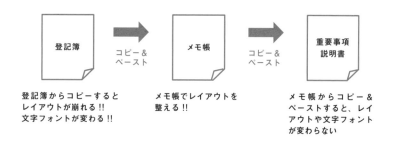

4 不要な部分は「斜線」「以下余白」と明記する

重説には登記簿の権利部（甲区）及び権利部（乙区）を記載する場所もあります。権利部（甲区）については、現所有者名を書くのですが、ここも登記簿の記載通りに書き写しましょう。差し押さえの記載などがあればこれも書き写します。ただし、すでに取り消されているもの（登記簿内に下線がある文）は記載しません。権利部（甲区）の一番下のものが最新情報なのでその部分だけ書き写します。

権利部（乙区）には、融資についての内容が記載されています。ここも登記簿とまったく同じように記載してください。ここは書くことが多いため、できればコピー&ペーストとメモ帳を駆使して、書き漏らしが無いようにしてください。まとめて複数行をコピーするとレイアウトが崩れてしまう場合は、1行ずつメモ帳にコピー&ペーストしてください。

作成している途中で、何も書かない枠については必ず「斜線」で取り消してください。また文章を書いた最後に余白がある場合は、必ず「以下余白」と記載してください。これは余白に勝手

「斜線」と「以下余白」を必ず入れること

権利部（甲区）	所有者	住　所	○○区○○町五丁目
		氏　名	○○　○○
	所有権にかかる 権利に関する事項 （有・無）		
権利部（乙区）	所有権以外の 権利に関する事項 （有・無）		根抵当権設定 平成○年○月○日 第○○○○○号 原因　平成○年○月○日設定 極度額　金○,○○○万円 債権の範囲　銀行取引　手形債権　小切手債権 電子記録債権 債務者　東京都○○区○○五丁目5番25号 ○○　○○ 根抵当権者　○○市○○区○○一丁目1番1号 株　式　会　社　○　○　銀　行 共同担保　目録(○)第○○○○号　以下余白

使わない枠は
必ず斜線で消す

抵当権についての情報を登記簿から書き写す。
書き間違いに気を付けてください。

書き終えたら、必ず「以下余白」と
記載すること

斜線、以下余白と書くことで文章を追記されるリスクを未然に防ぐ。

に追記されることを防止するためのものです。不動産売買は大きな金額が動きますので、悪意のある人が重要事項説明書や契約書を書き換えたり、追記したりできる余地を無くすための措置です。絶対に忘れないようにしてください。

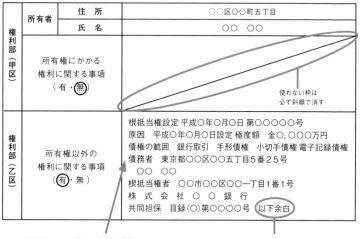

5 重説作成高速化！超簡単で素早くきれいな図を描くワザ

重説には必ず図を描く場所があります。その図とは敷地と道路との関係を示す概略図です。この図はワードやエクセルなどの「図形機能」を使って描くことが多いのですが、操作に慣れていないのか、わりと時間がかかっている社員も多いようです。

今後その他の図を作成するときにも活用できるので、これを機会に超簡単で素早くきれいな図を描くテクニックを身につけましょう。

敷地と道路の関係で重要なのは、**道路として用いる平行の直線をいかに素早くきれいに描けるか**です。

一般的に、「図形」の中の直線を選択して、マウスで伸ばしていく作業をするのですが、このとき、マウスがズレて斜めの線になってしまい、うまく平行の直線が引けないことが多いと思うのです。

図作成に時間がかかる原因

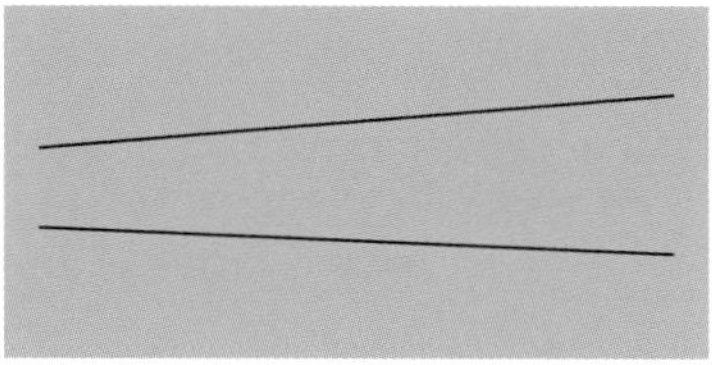

マウスがズレて水平線が引けない、
平行に道路を引けない

この線をちまちま修正していると、
あっという間に時間が過ぎていく

もし、簡単に平行の線を引くことができたら！
時間短縮になる！！

このズレを気にして、一生懸命に修正しているうちに時間がたってしまうというのが図の作成に時間がかかる一番の原因です。そこで、時短に最も効果のある平行の直線（水平、垂直）の簡単な引き方をご紹介します。

まず、図①〜③の手順で、平行な水平線2本を一瞬で描きます。図形機能から直線を選択し、そのままShiftキーを押しっぱなしにして、マウスでスーッと線を引きます。すると斜めにズレることもなくきれいに水平の線が引けます。そして、そのまま今度はその線をマウスで左クリック

素早くきれいに図を作成するテクニック

「前面道路を描くために平行な2本の直線を素早く作る方法」

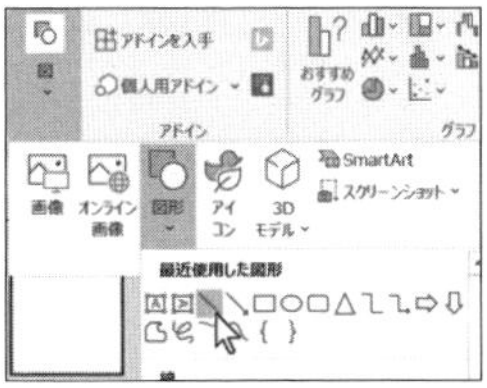

図形機能から、直線を選択します。

❶

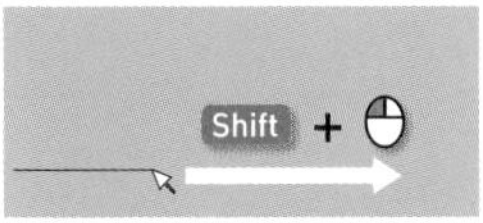

直線を引くときにShiftを押しっぱなしでマウスを右にスーッと伸ばすと斜めにならず直線が引けます。

❷

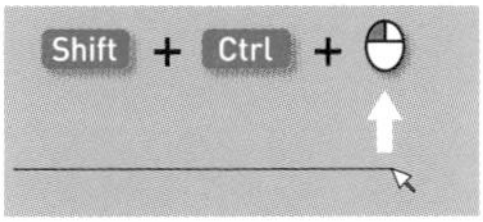

Shift + Ctrlを押しっぱなしで左クリックをしたままマウスを上に移動させると、同じ線を平行にコピーできます。

❸

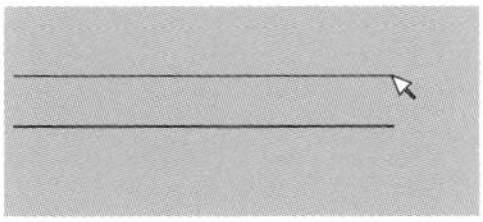

前面道路として利用する
平行な2本の直線を2秒で作成することができました。

しつつShift + Ctrlボタンを押し上方向にスーッとマウスを動かすと水平線が平行にコピーできます。前面道路のために2本線を引くだけでよければ、2秒で完成します。

次に、水平の線から垂直の線を素早く作る方法です。次ページの手順④で先ほど引いた上の線を少し縮めて、手順⑤でコピーします。コピーするショートカットはエクセルの場合「Ctrl+D」です。「Ctrl+D」はコピー&ペーストを一度に行うものです。「Ctrl+D」=「Ctrl+C」+「Ctrl+V」と理解しておけばよいでしょう。

このコピーしたものを選択し、手

「水平の線から垂直の道路を素早く作る方法」

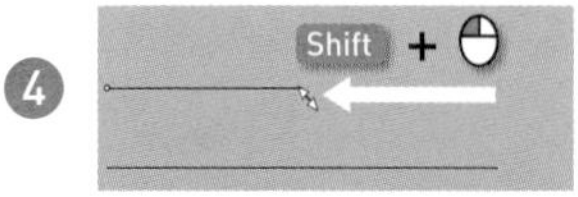

同じ要領で、Shiftを押しっぱなしにしてマウスを左側に移動させ、上の線を縮めます。

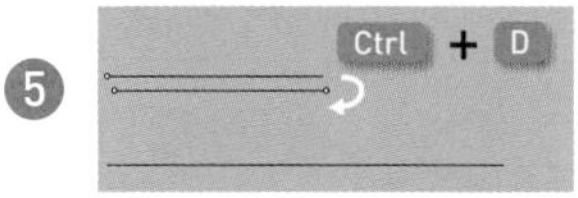

そのまま、Ctrl+Dを押すと、先ほど縮めた線がもう１つコピーされます。
(Ctrl+Dは図形を連続でコピーできる便利なショートカットです。連打すると、このようになります↓)

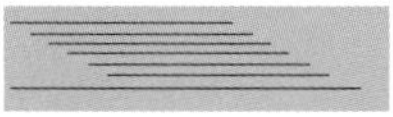

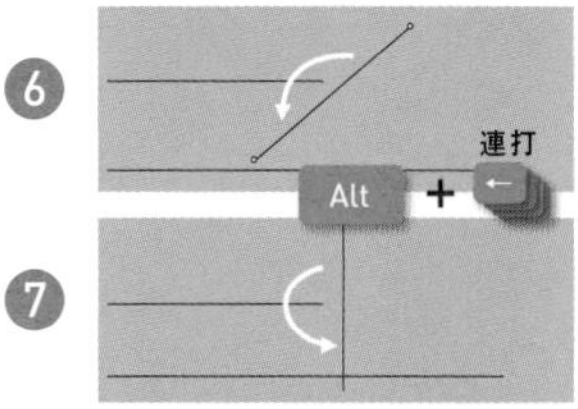

Altキーを押しながら「←」キーを何度か連続で押すと先ほどコピーした線が回転していき、垂直の線になります。

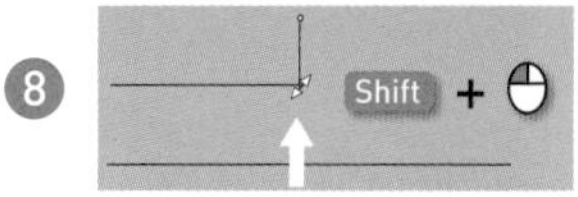

先ほどと同じ要領で、Shiftを押しっぱなしにしてマウスを移動させ、垂直の線を縮めます。

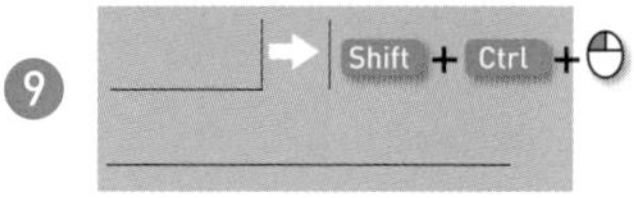

Shift＋Ctrlを押しっぱなしで左クリックしたままマウスを右に移動させ垂直の線をコピーすれば、垂直の道路ができ上がります。

順⑥、⑦のように「Alt＋←」で回転させます。「←」キーを数回連打すると、線がちょうど垂直になります。あとは手順⑧のように「Shift」を押しながらマウスで線を垂直方向に縮めます。最後に手順⑨で垂直の線を「Ctrl+Shift」を押しながら右側にマウスでコピーして、垂直に交わった道路の完成です。

あとは、手順⑩、⑪にて道路の右上側に左の水平線をコピーして前面道路が完成します。慣れてしまえばこの作業にかかる時間は30秒以内です。図を作成するのに手間取っている人はぜひ練習してください。

「道路の右上側を素早く作成し、前面道路を完成させる」

⑩
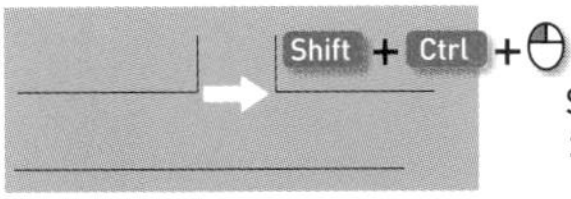

Shift＋Ctrlを押しっぱなしで水平の線をコピーします。

⑪
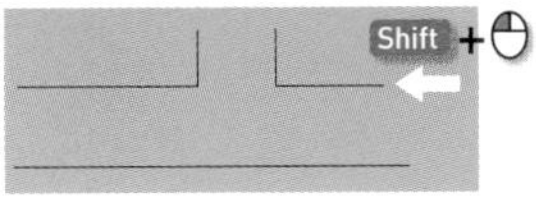

コピーしてきた線をShftを押しながらマウスを右にスーッと移動させ、線を縮めて前面道路の完成です。

「同じ要領で仕上げましょう」

⑫
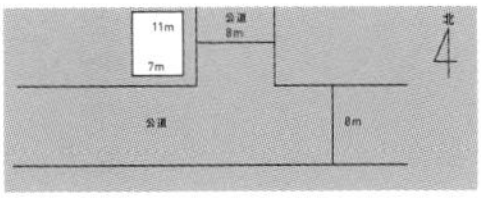

道路ができたら、そのほか必要な情報を加えていきましょう。道路の幅員を示す矢印の直線もShiftを使って垂直、平行に。

「コンパスマークは一筆書き」

⑬
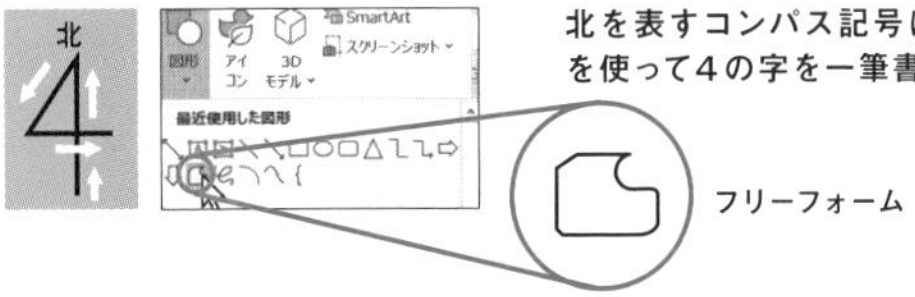

北を表すコンパス記号は、フリーフォームを使って4の字を一筆書きで作成します。

あとは、手順⑫のように四角ボックスオブジェクトを配置したり、矢印の直線を配置し、テキストボックスに幅員を記入して完成させてください。

最後に、手順⑬のようなコンパスマークは「図形機能」の「フリーフォーム」を利用して一筆書きで描いてください。一筆書きが難しいときは先ほど身につけた直線を3本組み合わせて作成しても構いません。

厳密性はあまり求められない図の作成であれば2～3分以内に終わるように素早くきれいな図を描くテクニックを身につけていきましょう！

6 重説の中で最も大切な「容認事項・特約事項・備考」の書き方

重説の中で最も大切といえるのが「容認事項」「特約事項」「備考」に記載する内容です。ここに記載する内容は、取引後の買主からのクレームや訴訟を防止するために重要な説明事項となります。

この内容については、様々なリスクをカバーしなくてはなりませんので、できるだけ細かく、必要なことを漏れなく記載しなくてはなりません。なお人によっては「容認事項」と「特約事項」を分ける場合と、分けずに容認事項の内容も含めて「特約事項」だけ記載する場合があります。どちらのスタイルをとっても構いません。重要なのは重説にそれらの内容が記載されていることですので、自社の方針に従って作成してください。

1 紋切り型の文言を活用する

容認事項・特約事項の中には、全ての重説に載せることができる紋切り型の部分があります。代表的なものは、その物件の周辺環境や法令についての内容です。この内容自体は当たり前のことしか書かれていませんが、その当たり前のことについてきちんと説明したことを示すために必ず記載しなくてはなりません。

古い建物の場合、アスベストが使用されている可能性があります。物件売買においてアスベストについては、ほとんどの場合調査されていないため、重要事項説明書の中でも必ず触れておかなくてはならない文言です。

同様に、現況有姿の取引では設備の経年劣化や建物付属物の引き渡しについても触れておく必要があります。そのほか将来の建替え、自治会・ごみ置き場に関すること、固定資産税・都市計画税（固都税）の日割精算、残代金の振込手数料などについて、紋切り型の文言を活用し、必要に応じて一部変更して記載します。

① 紋切り型の文言を活用する

周辺環境に関する文言

- 買主は、対象不動産の周辺環境を十分確認の上、本契約を締結するものとします。
- 本物件の交通、振動、騒音、臭気、日影、採光、通風、周辺建物の状況等の環境について確認の上、承認し本物件を買い受けるものとします。
- 対象不動産の周辺は第三者所有地になっているため、将来建築物が建築（また増・改築）される場合があります。
- 第三者所有地の利用方法等は、その土地所有者により決定されます。なお、その土地に建築物が建築された場合、景観・日照・眺望・風向・各種電波受信、その他周辺環境等に影響が出る場合があり、それらの影響により問題が生じた場合には、買主において処理、解決すること。
- 近年短時間に大量の雨が降ることがあり、宅地内に雨水が溜まったり、水はけに時間がかかることがある場合がございます。

法令に関する文言

- 法令に基づく制限等は本書作成時の法令であり将来の関係法規改正等により変更・制限の付加・制限の緩和がある場合があること。

アスベストに関する文言（古い物件の場合）

▶現在、既に建築されている多くの建物には、石綿（アスベスト）を含有している建材が一般的に使用されていた時期があり、対象不動産建物にもアスベスト含有建材が使用されている可能性がありますが、実態は不明です。
建材に含まれるアスベスト繊維は固定されているため、日常生活内で飛散することはなく、通常使用において健康に被害を及ぼすものでないと言われています。ただし、増改築や リフォーム解体時には、これら建材アスベストを飛散させないよう「石綿障害予防規則」（平成17年7月1日施行）、その他関係諸法令に則り、専門業者による適切な施工と産業廃棄物処理が必要となり、そのための費用が必要になります。

本件建物の増改築やリフォーム解体時に関する責任及びその費用は買主の負担となります。

現況有姿・設備の経年劣化に関する文言

▶本物件は現況有姿での引き渡しとなります。重要事項説明時添付資料と現況に相違がある場合、現況を優先します。
▶対象不動産に付帯する設備等について、経年劣化及び使用に伴う性能低下、傷、汚れ等があります。

建物付属物に関する文言

▶対象不動産に付属する門、塀等（水道管、ガス管、下水道等埋設物を含む）その他付属物（庭木、カーポートを含む）がある場合、対象不動産引渡時より買主の所有に帰属する。

将来の建替えに関する文言

▶将来、対象不動産土地に建築物を建築する際、建築を依頼する建築会社等から地盤・地耐力・擁壁調査を依頼されることがあり、その結果により地盤補強工事等が必要となる場合があります。
地盤補強工事等について、建築する建物構造・規模・重量および依頼する建築会社等により異なります。

また、地盤補強工事等について費用が生じた場合は買主の負担となります。

自治会・ごみ置き場等に関する文言

▶近隣住民において既に結成されている自治会等の加入に際し、会費の負担が生じます。
▶本物件のごみ置き場については、地元自治会の指示に従って下さい。また、地域のごみ置き場は将来に渡って保証されるものではないため、状況によっては敷地前面がごみ置き場として予定される場合があることをご承知おき下さい。

固都税の日割精算に関する文言

▶固都税精算については、○月○日を起算日とし、引渡完了日の前日までに相当する部分を売主の負担、当日以降に相当する部分を買主の負担として引渡完了日において日割精算額を算出するものとします。

残代金の振込手数料に関する文言

▶買主から売主へ支払う残代金に関して売主指定の金融機関へ振込、あるいは預金小切手をもって支払うものとし、振込にかかる振込手数料は１件目までは買主負担、２件目以降は売主負担とします。

2 投資物件（賃貸物件）の場合の紋切り型の文言

投資物件の場合にも同様に紋切り型の文言があります。投資物件については必ず賃料と維持管理費用について言及しておきます。火災報知機の設置義務、室内の付帯設備などについても記載します。

賃貸借契約や敷金の承継、賃料の日割精算、退去時の取り扱い、賃貸借契約の名義変更、賃料の誤入金への対応方法など、賃貸物件ならではの文言が必要となります。

これらについてもある程度は紋切り型となりますので、必要に応じて都度修正を入れながら特約事項や容認事項に記載します。

② 投資物件(賃貸物件)の場合の紋切り型の文言

賃料に関する文言

▶対象不動産の賃貸稼働状況は本契約締結時点のものです。
▶今後の社会情勢・経済情勢・建物経年劣化等によって賃料や稼働状況が増減する場合があり、今後の賃貸借契約内容については売主及び仲介業者が保証するものではありません。

維持管理に関する文言

▶対象不動産の維持管理に関し、清掃費・各種設備点検維持費・共用部光熱費等の費用が発生します。
▶建築物の維持保全を図るために、一定期間ごとに外壁、内壁、天井、鉄部、防水シーリング、屋上防水、外構 等建築関係及び、給排水、電気、消防、避難設備等の修繕工事を行う必要があり、費用が発生します。

火災報知器設置に関する文言

▶消防法により、全ての住宅に火災報知機器の設置が義務付けられます。
▶法令及び各市町村条例で定める基準に従って、火災報知機器を設置、維持しなければなりません。対象不動産建物について、未設置の場合は、設置する必要があり、その際費用は買主の負担となります。

賃貸中の室内の付帯設備性能低下に関する文言

▶買主は本物件が賃貸中であるため、全室内を検分することなく本契約を締結するが、買主が将来本物件を検分した時に付帯設備等の性能低下、損傷、故障等を発見した場合、買主の負担による点検、補修、交換が生じる場合があることを十分承知した上で本物件を買い受けるものとします。

賃貸借契約の承継に関する文言

▶本物件は売主と賃借人との間で別添「建物賃貸借契約書」のとおり賃貸借契約が締結されており、その賃借権負担付で本物件を買い受けることを確認します。
▶本物件の所有権移転と同時に、前記賃貸借契約において売主が有する貸主として権利義務の一切(敷金承継を含む)を買主が承継するものとする。

敷金の承継に関する文言

▶売主及び買主は、権利義務の承継に伴い、各賃借人から預託を受けている保証金及び敷金・クリーニング費用等の合計を本物件引渡時に買主へ引渡し、買主は各賃借人に対する敷金返還債務を承継します。尚、敷金引渡しについては、本物件の売買残代金と相殺し精算することとします。

賃料の日割精算に関する文言

▶本物件より生じる収益（賃料および共益費等）については、引渡完了日の前日までに相当する部分を売主の収益とし、当日以降に相当する部分を買主の収益として引渡完了日において精算するものとする。

退去が生じた場合に関する文言

▶本契約締結後、引渡し時までに、賃貸借契約内容の変更、解約、敷金返還が生じた場合、売主は遅滞なくその旨を買主に通知するものとし、買主はそれを承諾するものとします。
なお、新規契約、賃料変更について、売主はあらかじめその内容を買主に通知し、買主の同意を得ることとします。

▶売主及び買主は、本物件引渡し時までに入居状況に変更が生じた場合でも、本契約に何ら影響をおよぼさず、一切の異議申し立てを行わないことを互いに確認します。

賃貸借契約書等の引渡しに関する文言

▶売主は本物件引渡しまでに、本賃貸借契約における契約書、入居申込書等、鍵一式、その他本物件に係る全ての保有する資料を買主に引渡すものとします。

賃貸借契約の名義変更に関する文言

▶売主及び買主は互いに協力して、本物件引渡し後遅滞なく賃貸人名義を買主名義に変更することを賃借人に通知します。

賃料の誤入金時の対応に関する文言

▶売主が買主に本物件を引渡した後、本物件賃借人等より買主が受領すべき賃料の入金が誤って売主にあった場合、また売主が受領すべき入金が誤って買主にあった場合、誤入金を受領した一方は無利息にて速やかに本来受領するべき一方に送金するものとします。なお、送金にかかる振込手数料は誤入金を受領した一方の負担とします。

賃貸借契約の告知に関する文言

▶売主は買主に対し、本契約締結時における賃貸借契約の内容、その他関連事項に関して別紙「賃借人一覧及び状況報告書」にて告知するものとします。

善管注意義務に関する文言

▶売主は、本物件の引渡しをするまで善良な管理者の注意を持って管理するものとし、引渡しまでの間に賃借人から室内設備に関して修繕・交換等の依頼があった場合、すみやかに買主に通知の上、売主の責任と負担において修繕・交換するものとします。

3 物件の個別の事情は明確に記載する

その物件特有の個別の事情については、できるだけ細かく記載してください。無理に難しい法律用語を使おうとせず、わかりやすく丁寧に記載すれば問題ありません。

個別の事情として、よくあげられるものとしては、お隣さんとの間で、雨どいが越境している等の隣地越境や、昔からの名残で隣地との境界が未確定な場合です。隣地と覚書を締結するのか、売主買主のどちらの費用負担で境界を確定させるのかを明示しておきます。また前面道路が私道の場合、持ち分があるのかないのか、再建築時にはどういった手続きが必要かを丁寧に記載します。未登記の建物がある場合は、どの部分が未登記なのかを特定できるように記載するとともに是正措置の可能性についても言及しておきます。古い物件の場合、検査済証を未取得だったり、取得していても紛失していたりする場合がありますのでその内容について言及します。その物件で過去に事件や事故により人が亡くなった経緯がある場合は、心理的瑕疵《かし》のある事故物件と呼ばれ告知義務があります。いつどのようなことが起きたのかを売主や近隣住民からヒアリングし、その経緯を記載してください。ただし、例えば家族に囲まれながら看取られた場合などは心理的瑕疵には当たらないため、個別の事情をよく把握して判断してください。

③ 物件の個別の事情は明確に記載する

越境、隣地との境界が未確定の場合

▶東側隣接地(99-99)とは、相互に雨どい等の越境が確認されています。越境に関しては、覚書を締結するものとします。

▶また、西側隣地(99-97)との間の境界は未確定です。確定測量を行う場合は買主の費用負担にて実施することを確認しました。

前面道路の私道持ち分と再建築について

▶本物件は、北側私道(111-11)の持ち分を有していないため、再建築(増改築含む)における掘削時には私道所有者の承諾を得る必要があります。

未登記の建物がある場合

▶本物件北側の3階部分(24.3㎡)は未登記の建物となっています。現建築基準法に抵触する可能性があり、特定行政庁から是正措置を命じられる場合があります。

検査済証未取得に関する文言(古い物件の場合)

▶本物件建物は検査済証を取得しておりません。

▶本物件建物が、建築確認を取得後その内容と異なる内容で建築されている場合、現建築基準法に抵触することになり、特定行政庁から是正措置を命じられる場合があります。
また建築確認申請を伴う増改築・用途変更は行えない場合があります。

心理的瑕疵がある場合

▶本物件は昭和○○年○月○日に○号室にて○○の事件が発生しており、○○が発見された経緯があります。

4 瑕疵担保免責が認められる場合、認められない場合

雨漏りやシロアリなど物件の瑕疵について、どこまで売主が責任をとらなくてはならないかを取り決めるのが瑕疵担保責任に関する条項です。この条項については売買契約書内にも記載されていますが、売主が瑕疵担保責任を負わない場合、明確に特約事項に記載しておく必要があります。

ただし、この瑕疵担保責任については免責が認められる場合と認められない場合がありますので注意が必要です。

売主が一般の人（宅建業者ではない）の場合は、売主・買主相互の取り決めにより瑕疵担保免責とすることが可能です。

しかし、売主が宅建業者だった場合、例え契約書と重要事項説明書に瑕疵担保免責とうたっていたとしても、それは認められません。売主が宅建業者の場合、瑕疵担保免責にするためには、相応の理由が必要となります。

例えば、宅建業者が古家付きの土地を更地にして販売する際に、買主側の要望で古家をそのままにして購入する代わりに解体費用の分だけ値引きして欲しいといわれた場合などです。販売価

④ 瑕疵担保免責が認められる例、認められない例

瑕疵担保免責条項

▶本物件は現状のまま引渡し、売主は瑕疵担保責任を負わないものとします。

理由を明確にした瑕疵担保免責条項

▶本契約は土地をその売買の目的とするものであり、対象土地に付属する古家については使用できないことを売主買主それぞれ承諾しました。
▶本物件の古家解体費用分金○○万円の値引きを行う代わり、本物件は現状のまま引渡しとし、売主は瑕疵担保責任を負わないことを売主買主それぞれ承諾しました。

格より解体費用分の金○○万円値引きをするのでその代わりに瑕疵担保免責にするといった条件を売主・買主が承諾したということを明記する必要があります。業者によっては、特約事項だけでなく覚書などを締結することもあります。

5　付帯設備表の作成、物件状況報告書の作成

付帯設備表とはその建物に付帯する設備を一覧化したものです。給湯設備やキッチン、浴室、トイレ等の水回り、冷暖房などの空調、収納や雨戸などの建具等、その建物内外に設置されている設備を記載します。

基本的には売主自身に記載してもらうかヒアリングしながら設備の有無や故障などを記載し、売主・買主の双方で確認し、署名捺印を行います。

物件状況報告書は告知書とも呼ばれ、物件の現在の状況がどうなっているかを書くものです。これも売主自身に記載してもらうかヒアリングしながら記載し、売主・買主の双方で確認し、署名捺印を行います。

この物件状況報告書には、瑕疵担保責任を問われる雨漏りやシロアリ、腐食や配管や建物の傾きなどを記載します。また増改築の内容や境界、越境、配管、地盤沈下、土壌汚染、心理的瑕疵などについても、売主がわかる範囲内で記載してもらいます。この中で特に重要な内容については重要事項説明書の特約事項や容認事項に重ねて記載しましょう。

なお、物件状況報告書は重要事項説明書と同様にひな型が存在します。重要事項説明書のひな

⑤ 付帯設備表の作成、物件状況報告書の作成

型を入手したときに合わせて取得しておきましょう。

投資物件（賃貸物件）の場合、賃借人が居住中のため室内の設備について確認できないことがあります。その場合は、特約事項に付帯設備表の作成を行わない旨を記載しておきます。

付帯設備表を作成しない場合の文言

▶**本物件は賃貸中の為、室内設備状況の確認ができません。そのため本契約第〇条の定めにかかわらず、本物件建物の「付帯設備表」は作成しないものとします。**

⑥ 境界非明示、公簿売買について

境界非明示の場合の文言

▶境界の明示に関して、本契約第○条の定めにかかわらず、地積測量図と境界確認書交付をもって境界明示に代えるものとします。

公簿売買に関する文言

▶本件土地売買の基準は公簿面積とし、後日、買主が測量を行いその結果、公簿面積と差異が生じたとしても実測精算、地積更正登記は行なわないものとします。

6 境界非明示、公簿売買について

先ほどの物件状況報告書にも記載するのですが、不動産の売買契約書には、基本的に現地にて境界を確認するという「境界の明示」に関する条項があります。しかし、実際の取引では売主と買主は不動産業者の事務所で契約をし、現地には出向くことはありません。その場合、特約事項の中に現地に行って境界を明示する代わりに地積測量図や境界確認書を渡すこととする「境界非明示」についての条項を記載する必要があります。

また、取引する土地の測量をしておらず公簿面積（登記簿に記載されている地積）

⑦ ライフラインに関する記述は念押しして書いておく

配管状況に関する文言

▶各施設配管については、関係各所からの開示資料及びヒアリング結果に基づき調査説明をしたものであり、実際の配管状況と異なる場合があります。前面道路配管、引込管の埋設位置について別添資料の各配管図をご参照ください。
▶上下水管の敷地内引込管については、経年変化による物理的損耗が生じている場合、敷地内引込管の取替え工事が必要となることがあり、そのための費用が生じます。また、新規に本管から引込管を引き込む場合も工事費用が生じます。

で売買するときには、後々測量しその結果、土地の面積が増減したとしても売買代金を実測に基づいて精算しないということを記載します。そうすることで後々のトラブルを未然に防ぐことができるのです。

7 ライフラインに関する記述は念押しして書いておく

上下水道やガスなどの配管については物件状況報告書並びに添付資料として配管図等に基づき説明しますが、その内容は関係各所への調査に基づくものであり、実際に掘削して確認したわけではありません。また、中古物件の場合、経年劣化等が発生しており、修繕が必要となる可能性もゼロではありません。そのため、これらのリスクを容認してもらうために念押しとしてライフラインの記述を入れておきます。

もはやここまで念押しする必要があるのかという内容

⑧ 登記に関する記述

所有者の住所が登記簿上と異なる場合

本物件土地（XX-XX）及び建物（XX-XX）の登記簿上の所有者の住所は○○市○○町○○丁目○○となっており、現在の住所と異なります。売主はその責任と費用負担にて引き渡しまでに住所変更の登記を行うこととします。

かもしれません。しかし、ライフラインはその建物を使用するうえで重要であり、万一これが使用できないとなると損害賠償請求を受けてしまう可能性もあります。念には念を入れて記載しておく方がよいでしょう。

8 登記に関する記述

登記簿の記載内容について現実と異なる場合については、詳しく記載しなくてはなりません。例えば、売主である現所有者が引越後、登記簿上の住所を変更していない場合や、相続後登記をしていないことがあります。

その場合は、登記簿上の記載と現実との相違点を詳しく記載するとともに、引き渡しまでに売主の責任と費用負担で登記簿上の記載について変更する旨を記述します。

第 5 章

ついに迎える売買契約締結

1 売買契約日程の調整
～一堂に会すのか、持ち回り契約か

お客さんからの買付申込を受け（もしくは出し）売主がGOサインを出したら、ついに売買契約です。

売買契約の準備として、最初に行わなくてはならないのが「契約日程の調整」です。通常、売買契約は、売主・売主側仲介業者・買主・買主側仲介業者の四者が、売主側仲介業者のオフィスにて一堂に会し行います。

最低でも4名の都合をあわせなくてはなりませんから、日程調整はとても大変です。別の売買取引をいくつも並行して行っている場合は、それら複数の予定とも重ならないように注意しなくてはならず神経を使います。

日程調整のポイントは**「日程調整の主導権をとること」**と**「最低でも2週間あけること」**です。

主導権をとるとは具体的に、こちらから契約予定の希望日を相手に伝えるということです。例えばあなたが売主側の仲介業者だった場合は、売主に対し「○○日と○○日と○○日と○○日と○○

日のうち3つくらい希望日の候補をあげてもらえますか？」と尋ね、売主と調整した後に、買主側の仲介業者に「売主様のご都合は○○日と○○日と○○日の3つであれば大丈夫ですが、買主様のご都合はいかがでしょうか」というように希望日の候補を伝えるということです。

なお、候補を売主と調整するときには、前もって自分の予定の中でNGのところを外し5つから6つの候補日を上げるようにしてください。

候補をまったく取り決めず「契約日はいつがいいですか？」と聞くのはあまりうまいやり方ではありません。というのも相手が挙げてきた契約予定の希望日に売主や自分自身の都合がつかないと拒否しなくてはならなくなるからです。相手の仲介業者や買主がせっかく希望日を調整してくれたのに、こちらの都合でその苦労を水の泡にしてしまうのはよい仕事の仕方ではないからです。

日程調整で「最低でも2週間あけること」は、ある意味自分のためです。前章までで述べてきた通り、不動産の売買契約を行うためには様々な調査を行い、書面を作成しなくてはなりません。この調査と書面作成のためのリードタイムを確保するために「最低でも2週間あけること」を推奨しているのです。

調査や書面の作成に1週間、相手方に内容を確認してもらい最終化（最終版に）するのに1週間を見ておく必要があるからです。調査・書面の作成は慣れてくれば1、2日でできてしまうかも

日程調整のポイント

① イニシアチブをとること

➡先に予定を伝えた方が、自分の予定中心に決められる

▶自分がNGの日程はあらかじめ外して伝える
▶できるだけ希望日候補を複数出す（5～6つ）

② 最低でも2週間あけて調整する

➡調査や書面作成の時間を確保する

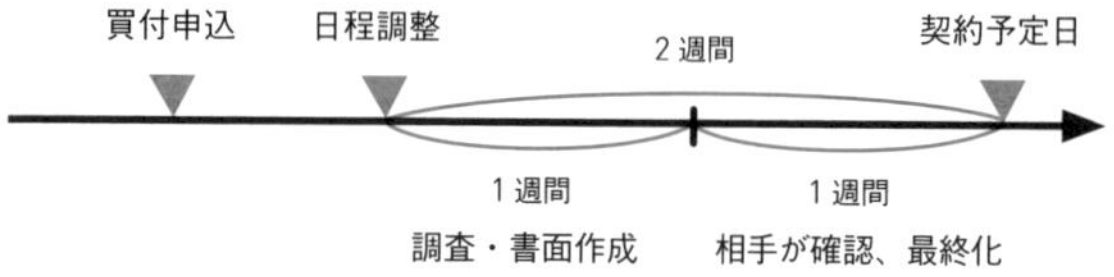

しれませんが、別件の仕事と重なっていたり、物件が遠方で移動に時間がかかったりすることを考慮して1週間は取るようにしましょう。

この日程調整ですが、どうしても売主と買主の都合がつかないときには、最終手段として**「持ち回り契約」**を行うことができます。「持ち回り契約」とは、最初に一方だけが売買契約書に署名捺印を行い、後日、もう一方が署名捺印を行うというように、売主と買主が会うことなく契約するやり方です。署名捺印済みの契約書を仲介業者が持ち回るため、こういった名前になったのでしょう。

「持ち回り契約」では、手付金をいつどうやって支払うのか及び、手付金領収書の受

持ち回り契約の留意点とリスク

持ち回り契約

留意点	▶手付金の支払方法、支払日を決めておくこと ▶手付金領収書の受け渡し方法とタイミングを決めておくこと
リスク	▶相手が本当に存在しているか確認できない！

➡ **持ち回り契約は最終手段！ できるだけ避けるのが原則！**

け渡し方法とタイミングについて相手側の仲介業者と取り決めておいてください。

日程調整が楽な「持ち回り契約」ですが、取引の相手が本当に存在するのかなどを自分の目で確かめることができないので、できるだけ避けるのが原則です。

なお、売買契約を売主側仲介業者のオフィスで行うのは、売主側仲介業者が本当に存在するか、ちゃんとした会社なのかを確かめる意味合いもあります。

2 売買契約前夜までに準備しておくもの

～売主側業者

売主側業者は、売買契約の前夜までに左記のものを取り揃えましょう。

前日までに準備しておくもの（売主側業者）

- 売買契約書（原本２部、コピー２部）
- 重要事項説明書（原本２部、コピー２部）
- 重説添付資料一式
- 会社の代表印、宅建士印
- お客さんの身分証のコピー
- 収入印紙
- 収入印紙の領収書
- 手付金の領収書
- 不動産取引書類を入れる高級ファイル

売買契約書及び重要事項説明書は事前に印刷し、製本テープで背表紙を貼り、裏側に代表印で割り印を押します。また書面の必要箇所に代表印と宅建士印を押印しておきます。売主・買主それぞれに原本1部ずつ、仲介業者向けにコピーを1部ずつ用意します。重要事項説明書に添付する登記簿や評価証明、建築確認資料、道路関連資料、ライフラインの配管資料等の重説添付資料一式もファイルにまとめておきます。これらはすでにＡ４のまとめファイルにあるはずなので、原本を買主に渡し、手元のＡ４まとめファイルにはコピーを入れておきます。登記簿はできるだけ新しい方がよいので、前日に再取得したものを入れましょう。

契約当日に修正などが発生した際には、代表印が必要になるかもしれません。自分自身が代表でもない限り、会社の代表印を預かることはできませんので、翌日の契約時には必要に応じて借り受けられるように、代表や上司に連絡しておきましょう。

お客さんの身分証（免許証など）のコピーについては前日までに揃わないときには当日でも構いません。ただし、お客さんの身分証が免許証ではなく、普段持ち歩かないパスポートなどの場合にはできるだけ事前にコピーさせてもらいましょう。

収入印紙は郵便局で購入することができます。通常、印紙代は売主の分は売主が支払い、買主の分は買主が支払います。売主側の業者は売主の収入印紙を事前に購入しておきましょう。また収入印紙の領収書については、購入した郵便局の領収書をそのまま売主に渡すのが効率的です。郵便局の領収書が残っていない場合は、自社の領収書を作成しておきましょう。

また手付金の領収書も事前に作成しておきましょう。領収書の宛名は記入しておきます。日付と領収書の発行者部分については、当日に売主に記名捺印してもらいます。

最後に売主や買主に渡す契約書や重説、添付資料一式などを入れるための高級ファイルを用意しておきましょう。会社の備品として在庫があれば1～2冊確保しておくとよいでしょう。

なお、売買契約は基本的に自社のオフィスにて行いますので、ボールペンや朱肉など細かい備品の用意は必要ありません。

3 売買契約前夜までに準備しておくもの
～買主側業者

買主側業者が売買契約の前日までに準備しておくものは左記の通りです。

前日までに準備しておくもの
（買主側業者）

・会社の代表印、宅建士印
・お客さんの身分証のコピー
・収入印紙
・収入印紙の領収書
・不動産取引書類を入れる高級ファイル
・領収書の束
・朱肉
・捺印マット（ゴムパッド）
・印鑑拭き（ポケットティッシュ）
・黒のボールペン
・紙袋
・お客さんの認印

売買契約は基本的に売主側仲介業者のオフィスにて行うため、忘れ物をしてしまうと大変に困ります。気を付けて準備してください。会社の代表印や宅建士の印については、持ち出しを禁じられている場合は事前に契約書と重説に押印しておく必要がありますので、売主側業者と相談して押印の時間をもらいましょう。

お客さんの身分証コピーについては、当日、売主側に渡してしまうため、必要に応じ再コピーをとっておきましょう。

収入印紙は最寄りの郵便局で購入し、領収書とともに買主に渡せるようにしておきます。また、売買契約書や重要事項説明書などの不動産の重要書類を入れる高級ファイルを一冊確保しておきましょう。

基本的に手付金の領収書は売主側が発行しますが、万一誤りがあった場合などに書き直すことができるよう、領収書の束を持っていきましょう。コンビニなどで売られている市販の領収書で構いません。

朱肉と捺印マット（ゴムパッド）については、先方のオフィスにもあるはずですがこちらでも念のため準備しておきましょう。それらとともに印鑑拭き（ポケットティッシュ）を忍ばせておけば、押印後のお客さんにパッと渡せてスマートです。黒のボールペンは念のため持参しておきます。

当日、買主は不動産の契約書類一式とともに、重説添付書類一式を受け取ります。投資物件の場合、さらに賃貸借契約書のコピーなども受け取ることがありますので、荷物でいっぱいになります。それらの荷物を持ち帰ってもらうために大きめの紙袋を用意しておきましょう。

最後に可能であれば、お客さんの認印を持参しましょう。認印は１００均で売っているもので構いません。万一、お客さんが印鑑を忘れたとしても、この認印を使えば契約が可能です。売買契約自体は実印である必要はないので、念のため用意しておきましょう。

4 超簡単な重要事項説明の仕方

売買契約を行うためには、事前に重要事項を説明しなくてはなりません。売買契約はおおよそ2時間くらいかかるのですが、その大半はこの重要事項説明の時間になります。お客さんにとって重要事項の内容は聞きなれない専門用語も多く、売主も買主も疲労困ぱいします。

そのため重要事項説明は正確かつ可能な限り手早く行い、売主と買主の疲労度を下げる努力をしなくてはなりません。

重要事項説明を手早くするカギは、説明に緩急をつけることです。大事なところはきっちりと、それほど大事でないところは素早く読んで説明するということです。

例えば、重要事項説明書の最初のページには「宅地建物取引業者」と「説明をする宅建士」と「供託所に関すること」の記載があります。具体的にいうと、売主側の業者と買主側の業者の名称や、免許番号、免許年月日、住所、代表者氏名、宅建士氏名や登録番号、供託所名、住所などが書かれています。

これを上から下まできっちりと音読するとそれだけで数分かかってしまいます。すでに何度も顔を合わせている業者の名称や住所についてくどくどともう一度読み上げる必要はありません。このページの業者名や宅建士については、軽く触れる程度でよく、大切なのは供託所が何なのかといった、お客さんが知らない内容をきちんと説明することなのです。

土地についてはしっかりとその所在や地番、地目や地積、持ち分、建物については所在や家屋番号、床面積などを登記簿に照らし合わせ確認します。

ここでも内容を飛ばさずに、できる限り素早く説明する工夫ができます。例えば、床面積が「1階52・38㎡、2階52・38㎡、3階52・38㎡、合計157・14㎡」という建物の説明では、だらだらと「1階52・38平方メートル、2階52・38平方メートル、3階52・38平方メートル、合計157・14平方メートル」と書いてある通りに読んではいけません。

この場合は「1、2、3階ともに52・38平方メートル、合計157・14平方メートル」というように同じ数字はまとめて、リズミカルにパッパッと説明する方が、聞いている方もわかりやすくてよりよいでしょう。

登記簿に記載された土地と建物の権利部（乙区）の説明では、銀行の抵当権について、まったく同じ内容の文章が土地と建物の両方に2回連続で出てきます。この場合も2回とも繰り返して読むのではなく「建物の権利部（乙区）に記載されている抵当権については、先ほどの土地の権利部（乙区）とまったく同じ内容となっています」と一言いい、クドクドと繰り返すのはやめましょう。

もちろん、土地に設定されている抵当権と、建物に設定されている抵当権が異なる内容であれば、ちゃんと全文を説明しなくてはなりません。あくまでまったく同じ内容の場合であれば効率的に説明できるということですのでお間違いなく。

最後に特約事項や容認事項などに記載した内容については、きちんと一言一句読み合わせてください。重要事項説明書の内容については全て大切ではありますが、この特約事項や容認事項はその物件特有の事項ですので、1つとして欠くことのできないものとなります。「少し時間はかかるかもしれませんが、最後のページなので頑張ってお聞きください」とお客さんを鼓舞しつつ、しっかりと内容を伝えましょう。

なお、法律上、売主は重要事項説明を受けなくてもよいため、たまに売主が説明の場にいないときもあります。売主が説明を受けない場合は、買主側業者は前日までに買主に重要事項説明を受けてもらえるように調整してみましょう。そうすれば当日は契約書等への押印だけで済むため、よりストレスなく取引を進めることができるはずです。

重要事項説明のポイント

NGな説明の仕方		OKな説明の仕方
ダラダラと音読する	⇔	緩急をつける
書いてある通りに読む	⇔	まとめてリズミカルに
同一内容を繰り返し読む	⇔	同一の内容は省略できる

➡ **重要事項説明は正確かつ可能な限り手早く行い、お客さんの疲労度を下げる努力を！**

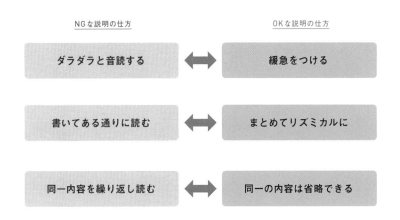

5 支払約定書を締結する

不動産売買の仲介は基本的に成功報酬です。買主が代金を全額支払い、売主が不動産を買主に引き渡すタイミングではじめて、仲介手数料が頂けます。短い取引で1か月弱、長いと数か月に及ぶ売買取引を行う間、不動産業者は様々にかかる費用を負担しています。遠方の物件の場合、飛行機代や新幹線代を実費にて請求する取り決めは可能ですが、近場の物件の場合、交通費や役所で支払う手数料、そしてあなた自身の人件費については不動産業者が負担しています。

ですから全ての不動産業者は、契約直前や決済直前でキャンセルになることを最も恐れています。これまでかけた苦労と経費が水の泡になってしまうからです。

そんな悲しい事態を少しでも防止すべく、物件の契約が成立したらお客さんとの間に「支払約定書」を締結しましょう。

この「支払約定書」は読んで字のごとく、支払いを約束しますよという書面です。代金が支払われ、物件が引き渡されたタイミングで、仲介手数料として○○万円支払います。という内容に

支払約定書（例）

支払約定書　　イメージ

[仲介業者]
○○不動産　株式会社

年　月　日

[住所] ＿＿＿＿＿＿＿＿＿＿

[氏名] ＿＿＿＿＿＿＿＿＿＿印

別紙不動産売買契約書に関わる仲介手数料を下記の通り支払うことを承諾いたします。

記

1．不動産の表示

[土地]　所在：○○市○○○一丁目 999 番 9
[建物]　所在：○○市○○○一丁目 999 番地 9
[価格]　金 3,100 万円

2．支払時期

残金決済時

3．媒介報酬額（消費税込）※（売買金額×3％＋6 万円）×消費税 1.10

金 1,089,000 円

以上

署名捺印をもらうことで、将来、仲介手数料のことで揉めないよう予防線を張るのです。

また、大手業者などでは契約成立の段階で、仲介手数料の半分を受け取り、決済時に残りの半分を受け取るため、支払約定書には残りの半分を支払うことが書かれています。

なお、万一、決済が不成立になった場合は受け取り済みの仲介手数料を返金しなくてはなりません。仲介手数料の半分を受け取ったからといって、すぐに使ってしまわないように気を付けましょう。

6 お客さんと業者のテンションの違いを意識する

特に買主側ですが、売買契約時にはお客さん（買主）のテンションと業者のテンションの違いを意識しておきましょう。契約日は、買主側の仲介業者にとって、これまでの苦労が実を結ぶ瞬間ですので、とてもテンションが上がり、うれしい日です。

それに対して、買主にとっては最も不安になる日です。この物件で本当によかったのだろうか、もっとよいものはなかったのだろうか、本当に借金して大丈夫だろうかなどと、大きな買い物をする不安でいっぱいになっています。ですので、例えば印鑑を忘れたなどといった、ちょっとしたはずみで契約を取りやめにしてしまうなんてこともあるのです。

ちなみに私が遭遇した話でいえば、重要事項説明を聞いた後に、家に持ち帰って再度熟読したいから、今日は契約しないと主張する方もいました。お客さんが重要事項説明を熟読したいタイプとわかっていれば、前日までにしっかりと時間をとって説明を完了させていなければならなかったのですが、いやはや悲しい出来事でした。

お客さんと不動産業者のテンションの違い　イメージ図

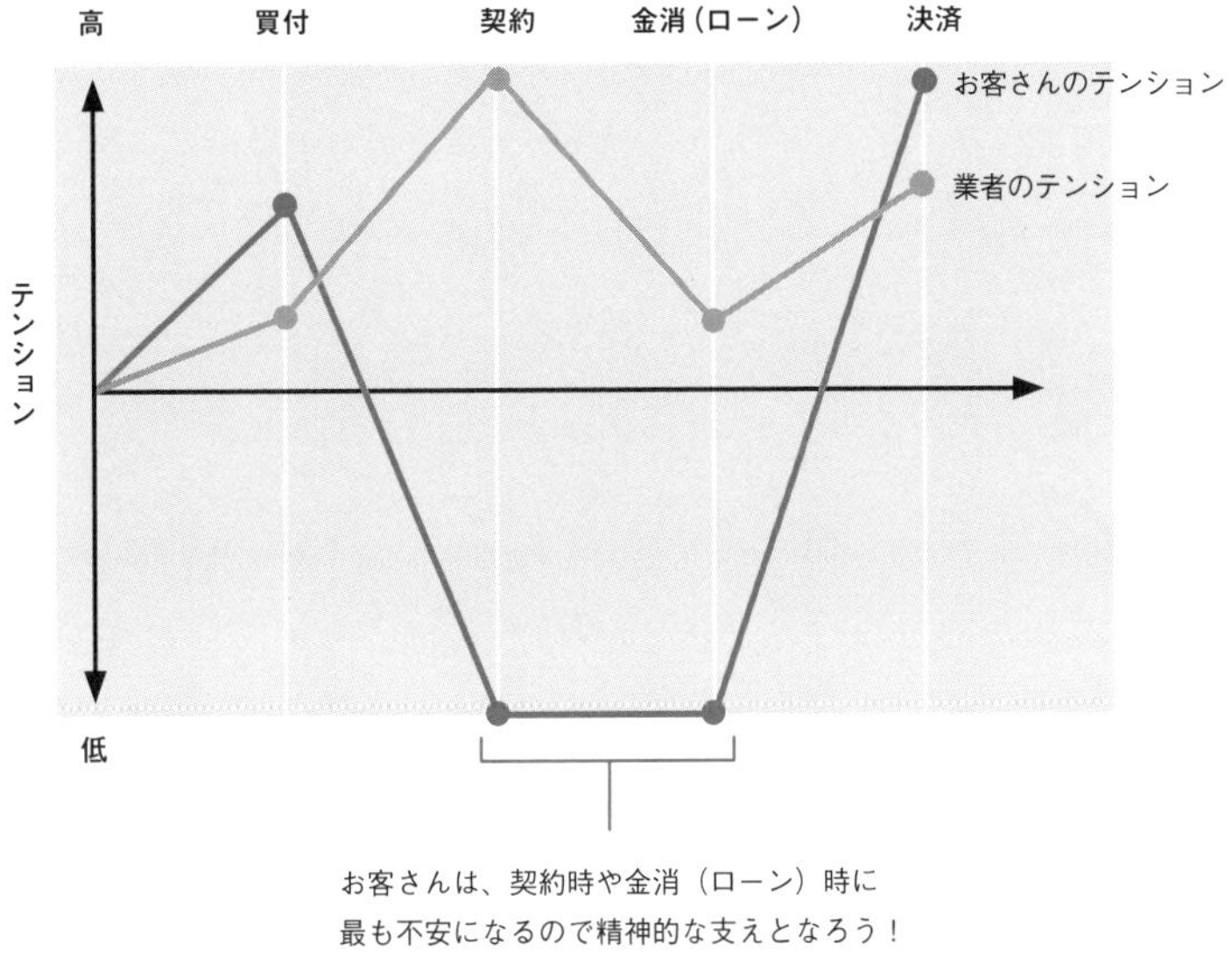

いずれにせよ、よきパートナーとしての不動産業者は、相手の心情をしっかりと理解して、支えにならなくてはなりません。

新人の頃であれば、契約だ！やったー！となりがちですが、そのうれしい思いは心の中に秘めて決して顔に出さず、お客さんの不安を少しでも解消するように先回りして気を遣うように心がけてください。

第6章

権利証探しから始まる決済準備（売主側）

1　売主は権利証を紛失していることもある

売買契約後は決済に向けて動きます。決済は一般的に売買契約から2～3週間後に行うことが多いです。買主が銀行ローンの本申込みを行い、銀行が決済資金を用意するのにそれくらいの時間が必要だからです。

その間に、売主側も決済の準備をします。現在、居住中の物件を引き渡すのであれば引越し作業や残置物の撤去などを行わなくてはなりません。また、投資物件の場合は関連する資料や各部屋のカギなどをひとまとめにして決済時に渡すことができるようにしなくてはなりません。

このとき売主側の業者は必ず売主に、登記済権利証（以下、権利証）の所在を確認するようにしてください。権利証とは、その不動産の登記について記載されている書類です。現在、登記情報は電子化されているので権利証という名称は用いられず「登記識別情報」といわれます。しかし、不動産取引の現場ではいまだに権利証と呼称するのが一般的ですので、本書でも権利証と呼ぶこととします。権利証の中の「登記識別情報」の番号が書かれている部分にはシールが貼られています。このシールをはがしてしまうと、この権利証が使えなくなってしまうため、シールははがさないようにしてください。

不動産の売買で売主から買主に不動産の所有権を移転させるときには、必ずこの権利証が必要となります。多くの場合は、その物件を購入したときにもらった不動産高級ファイルの中などに保管されているはずです。しかし、古い物件では、この権利証を紛失してしまっていることがあります。

決済直前になって、権利証が見つからないというトラブルを避けるためには、事前に売主に権利証を探し出しておいてもらう必要があります。

また、どうしても見つからない場合は「本人確認情報」の作成を依頼しなくてはなりません。これは権利証に代わりその不動産の持ち主であることを証明するための書類で、司法書士などの有資格者が作成するものです。権利証を紛失していた場合、この本人確認情報の書類を用いて所有権の移転登記を行います。通常は登記を担当する司法書士に依頼するのですが、5～10万円程度の費用がかかりますので、トラブルとならないためにも事前に売主に伝えておきましょう。

登記識別情報（権利証）

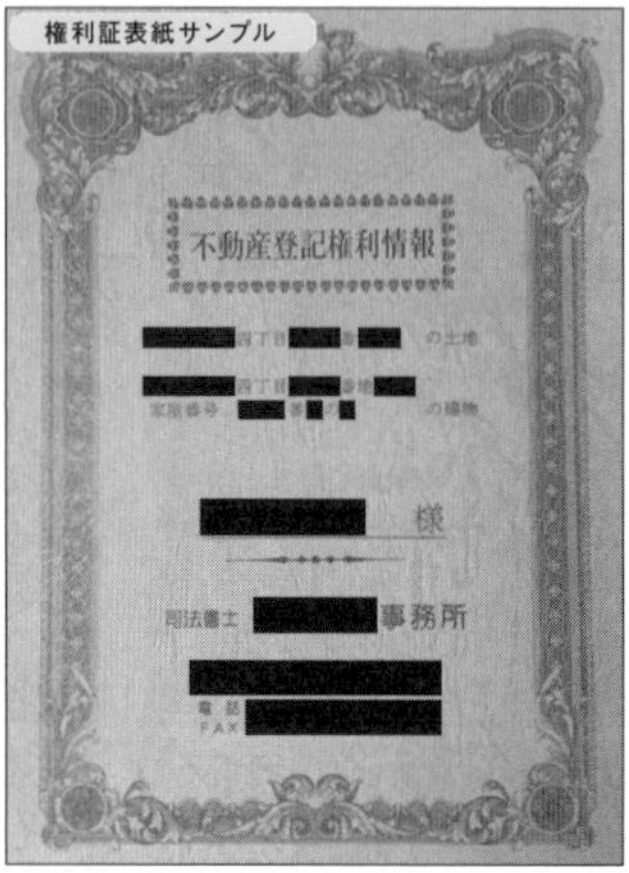

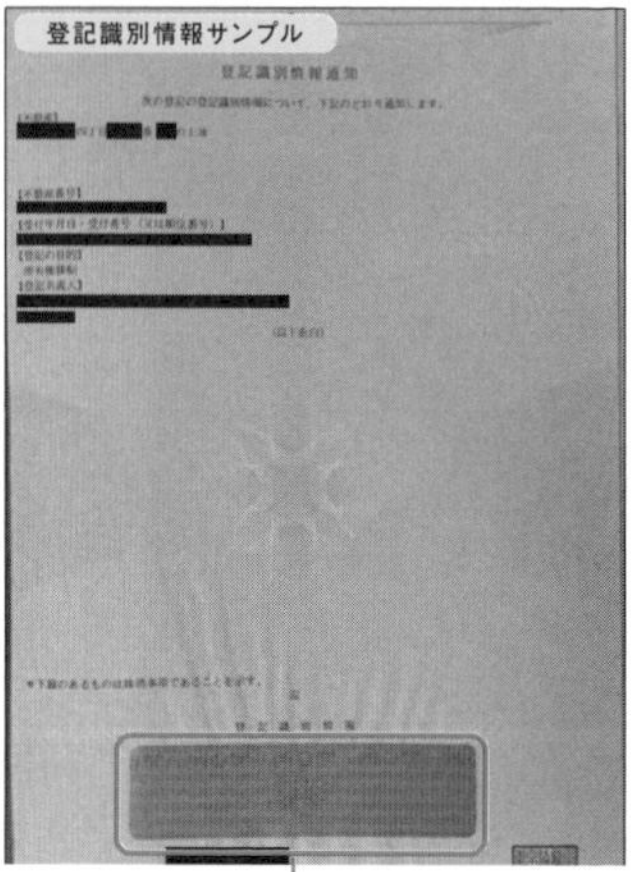

このシールは絶対に
はがしてはいけない

事前に権利証を探しておくよう伝えよう

- ▶ **権利証の所在は早めに確認してもらおう！**
- ▶ **権利証を紛失している場合は、本人確認情報の作成を依頼しよう！**

2 抵当権が設定されている場合は、削除手続きを行う

売買する物件にまだ銀行のローンが残っている場合は、決済日に向けて抵当権の抹消準備を行いましょう。

抵当権については、重要事項説明の中で登記簿の権利部（乙区）に記載されている銀行ローンに関する記述を確認していると思います。

売買契約後に、その銀行に連絡し抵当権抹消書類の準備を依頼します。基本的には売主と銀行の間でのやり取りとなります。不動産業者は売主から、銀行の抵当権抹消についてどれくらいのリードタイムが必要かを確認し、決済日程を調整しましょう。

通常、抵当権抹消の準備には2週間～1か月程度かかりますので、早めに銀行に連絡しておきましょう。また、決済当日には、司法書士が抵当権抹消書類を銀行にて受け取り登記を行います。抵当権抹消書類を発行する支店が遠い場合は、事前に決済する場所の近くにある支店で受け取ることができるように銀行に相談してくださいといったことを売主にアドバイスしておきましょう。

抵当権抹消の手続き

権利部（甲区）	所有者	住所	○○区○○町五丁目
		氏名	○○　○○
	所有権にかかる権利に関する事項（有・無）		
権利部（乙区）	所有権以外の権利に関する事項（有・無）		根抵当権設定 平成○年○月○日 第○○○○○号 原因　平成○年○月○日設定 極度額　金○,○○○万円 債権の範囲　銀行取引　手形債権　小切手債権 電子記録債権 債務者　東京都○○区○○五丁目5番25号 ○○　○○ 根抵当権者　○○市○○区○○一丁目1番1号 株式会社○○銀行 共同担保　目録(○)第○○○○号　以下余白

ここに抵当権に関する記述がある

不動産業者としてできるサポート

- ▶ 決済日は抵当権抹消のリードタイムを加味して調整する
- ▶ 抵当権抹消は2週間程度かかるので早めに連絡するように売主にアドバイスする
- ▶ 近くの支店で抹消書類を受け取ることができないか売主にアドバイスする

3 住所変更登記も必要ならついでに司法書士に依頼する

売主の住所と登記簿上の住所が異なる場合は、売買のタイミングで住所変更登記も行わなくてはなりません。というのも売主の現在の住所が登記簿上の住所と異なる場合、所有権移転のための登記ができないからです。

所有権移転登記には売主は印鑑証明書を提出しなくてはなりませんが、そこに記載されている住所は最新の住所であり、登記簿上の住所と異なる場合まずは最新の住所への住所変更登記を行わなくてはならないのです。

必要な書類は司法書士が指示してくれますが、直近に引越しをしたばかりであれば住民票などを役所にて取得する必要があります。複数回引越しを行っている場合は、全ての転居先が載っている戸籍の附票を取得する必要があります。ただし戸籍の附票は結婚などにより戸籍を独立した場合や本籍地を変更している場合、それ以降の転居先しか記載されていません。結婚前の転居先を調べる場合は親の戸籍の附票を取得する必要があります。

住所変更登記

不動産業者としてできるサポート

- 必要な書類は必ず司法書士と打ち合わせしてもらう
- 住所変更登記の費用が発生してしまうことを納得してもらう
- 複数回の転居をしている人は早めに動いてもらうようアドバイスする

戸籍の附票は役所の窓口に行くか、郵送でも取り寄せることができます。しかし、親の戸籍の附票が必要な場合などは、手間がかかるため、できるだけ早めに動くように売主にアドバイスしてください。

私たち不動産業者も自分のこととなるとついつい忘れがちな住所変更登記。売買のタイミングになってバタバタするのではなく、転居したらその都度、自分で住所変更登記をしておきましょうね。

第 7 章

金消契約から始める決済準備（買主側）

1 金消契約に向けて必要な書類集めをする

銀行や信用金庫、ノンバンクなどの金融機関と買主が金消契約（金銭消費貸借契約）を行うには、いくつか公的な書類の準備が必要になります。

金融機関によって求められる書類は異なりますが、大きく分けて「役所で取得できるもの」と「税務署で取得できるもの」になります。

「役所で取得できるもの」

- **印鑑証明書**
- **住民票**
- **住民税課税証明書 or 納税証明書 or 所得証明書（名称は市区役所・地方税務署により異なる）**
- **所有不動産の固定資産税納税証明書（東京は都税事務所、市区町村は役所）**

「税務署で取得できるもの」

・納税証明書（その1、その2、その3、その3の2、その4）：国税

これらの書類のほとんどは、平日の日中に役所、税務署、都税事務所などに行き取得する必要があります。

基本的には買主やその家族に取得してきてもらうのですが、日中どうしても仕事の都合で取得に行けない買主の場合は、委任状を作成してもらい買主の代わりに買主側の業者が「納税証明書」や「所得証明書（課税証明書）」を取得しに行きます。

委任状は、下記の内容をはっきりと記載する必要があります。

・代理人（代わりに取りに行く人）の住所、氏名
・委任者（買主）の住所、氏名
・日付
・取得する書類の名称、年度、通数

必要な書類は金融機関ごとに異なりますので、融資を受ける金融機関から教えてもらいます。特に納税証明書は「その1」「その2」「その3」「その3の2」「その3の3」「その4」など、名称が紛らわしいため、必ずはっきりと確認してください。できれば金融機関から書面もしくはメールで伝えてもらう方がよいと思います。

なお、代理人は自分のみならず自社の社員が誰でも対応できるように、代理人の欄は空白にしておくのが便利です。

代理人の住所は、会社の住所ではなく個人の住所を記載します。委任状に誤って会社の住所を記載してしまうと、税務署や役所で本人確認する際に本人の免許証等の提示を求められたときに免許証と委任状の住所が合致せず、本人確認ができなくなるからです。

代理人は役所、税務署にて各書類を受け取ったら代金（1通当たり数百円）を支払い、領収書とともに持ち帰ります。

なお、3年分×2通の場合、発行手数料の金額は3×2＝6通分となりますので、数千円程度の現金は持参するようにしてください。

融資から不動産登記までに必要な書類

	書類	内容
役所で取得するもの	印鑑証明書	事前に本人が役所にて実印登録を行い「印鑑登録カード」を発行しておく必要がある。（登録をしていない場合は実印登録から行ってもらう）
	住民票	基本的には平日に役所にて発行してもらう必要があるが、自治体によっては土日に自動発行機で発行することもできる。
	住民税課税証明書	住民税納税証明書、所得証明書など、呼び名が自治体によって異なるため注意してください。
	固定資産税納税証明書	自宅などすでに不動産を所有している人は固定資産税納税証明書も必要になる場合がある。東京都は役所ではなく都税事務所にて取得する。
税務署で取得するもの	納税証明書 その1	納付すべき税額、納付した税額及び未納税額等の証明。要するに、税金を納めていることを証明するための書類です。
	納税証明書 その2	所得金額の証明（個人は申告所得税又は申告所得税及復興特別所得税に係る所得金額、法人は法人税に係る所得金額）
	納税証明書 その3	未納の税額がないことの証明 （その3の2や3の3を使用するため、あまり使用しません）
	納税証明書 その3の2	未納の税額がないことの証明 （申告所得税及復興特別所得税と消費税及地方消費税）
	納税証明書 その3の3	未納の税額がないことの証明 （法人税と消費税及地方消費税）
	納税証明書 その4	証明を受けようとする期間に、滞納処分を受けたことがないことの証明。そもそも税金を滞納している人はローンが組めませんので注意してください。

委任状の書き方(例)

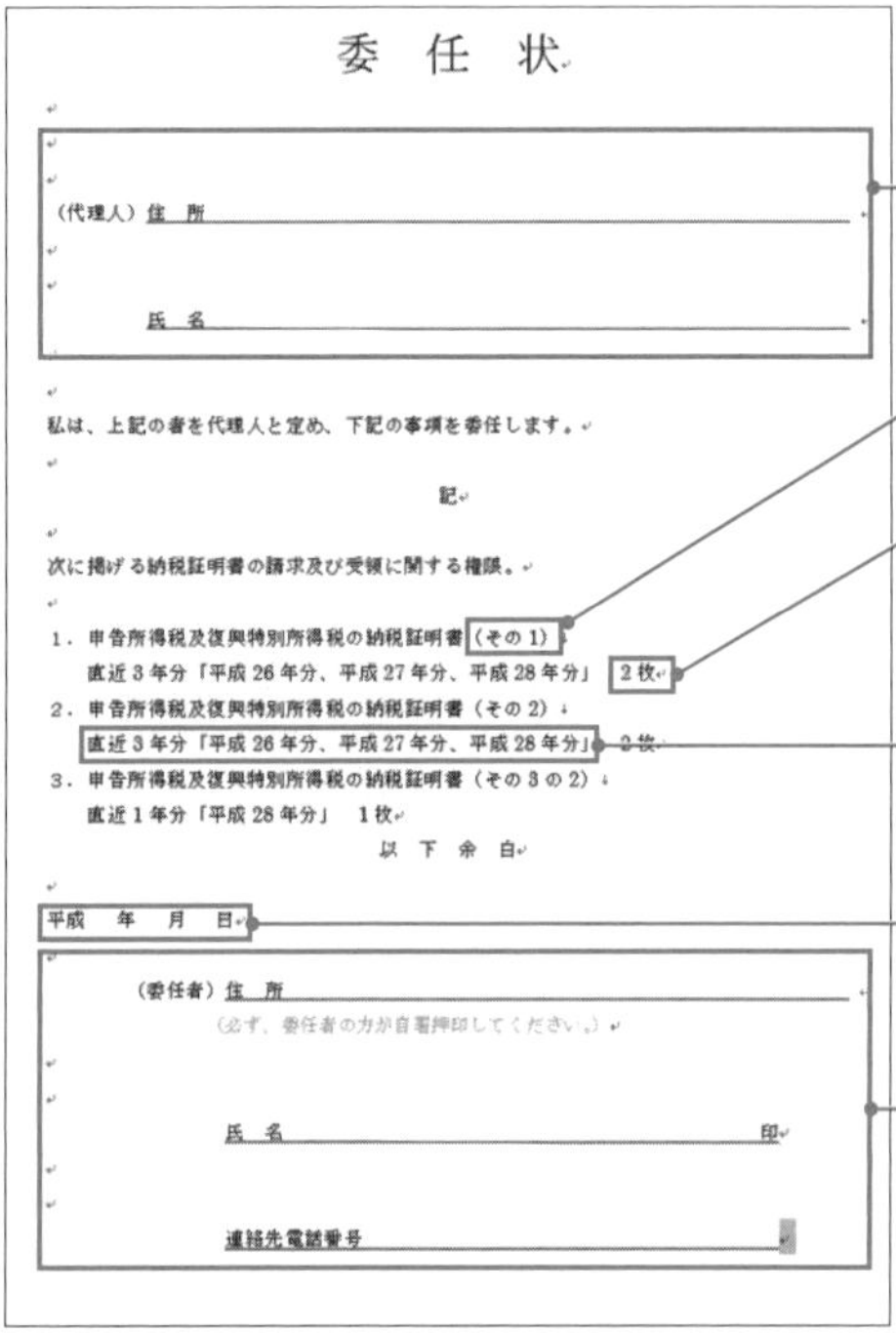
委　任　状

（代理人）住　所

氏　名

私は、上記の者を代理人と定め、下記の事項を委任します。

記

次に掲げる納税証明書の請求及び受領に関する権限。

1．申告所得税及復興特別所得税の納税証明書（その1）
直近3年分「平成26年分、平成27年分、平成28年分」　2枚
2．申告所得税及復興特別所得税の納税証明書（その2）
直近3年分「平成26年分、平成27年分、平成28年分」　2枚
3．申告所得税及復興特別所得税の納税証明書（その3の2）
直近1年分「平成28年分」　1枚

以　下　余　白

平成　　年　　月　　日

（委任者）住　所
（必ず、委任者の方が自署押印してください。）

氏　名　　　　　　　　　　　　　　　印

連絡先電話番号

ポイント

自社の社員が誰でも行けるよう代理人の欄は空白にしておく
代理人は自分の住んでいる住所を記入する（免許証等と同じ内容にする必要がある）

「その1」、「その2」など間違えやすいので注意

必要な通数を記載する
（社員の取得ミスを防止するため）

必要な年数とともに「直近●年分」と記載する
万一、年度の切り替わり等で記載年が異なった場合でも、直近3年分と記載しておけば税務署の人が対応してくれる

日付も忘れずに記入してもらう

お客さんに住所・氏名・電話番号を記載してもらう（電話番号は自治体により必要な場合がある）
不動産屋によっては、お客さんの代わりに自分たちで書いてしまうこともあるが、それはダメ。印鑑は認印でOK※

※不動産登記など重要な委任に関しては実印と印鑑証明書の添付が必要だが納税証明書の取得であれば認印で特に問題ない。

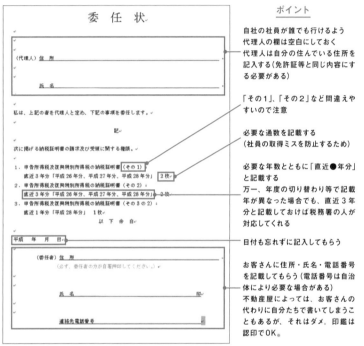

2 印鑑証明書だけは本人か家族が取りに行かなくてはならない

先ほどの節では、買主さんから委任された業者が役所や税務署に行き、納税証明書等を取得するということをご説明しました。

不動産取引では、多忙な買主さんに代わって書類を取得してくることがよくありますが、それでも「印鑑証明書」だけは買主さん本人もしくはその家族に取得してきてもらう必要があります。

というのも「印鑑証明書」を取得するには「印鑑登録カード」が必要であり、そのカードは極めて重要な物だからです。

「印鑑登録カード」とは、市区町村に印鑑を「実印」として登録するともらえるプラスチック製のカードです。市区町村によりICチップが入っているものもあります。

そして、このカードを携帯している人は、いつでも何枚でもそのカードを用いて「印鑑証明書」を取得することができます。

「印鑑証明書」は市区町村に登録された「実印」を証明するものであり、登録された印鑑は「実印」として金消契約など重要な契約に用いられます。万が一、「印鑑証明書」が不正に用いられれば取り返しのつかないことになります。

そのため「印鑑証明書」が自由に発行できる「印鑑登録カード」は、「印鑑証明書」以上に大変貴重な物であり、絶対に紛失してはならないものなのです。

「印鑑証明書」を委任して取得するということは、「印鑑登録カード」を預かることを意味します。それほど貴重な「印鑑登録カード」を預かるということは、紛失や悪用のリスクが生じるということです。印鑑証明書を本人かその家族に取得してきてもらうのは、そのようなカードを預かることで無用なリスクを冒さないというのが最大の理由です。

なお、**印鑑証明書は金消契約時及び登記時にも必要**となります。

しかし、**金融機関が提示する印鑑証明書の必要枚数は、金消契約時に使用するものだけの場合があり、登記時に必要な枚数が抜けている可能性があります。**

そのため、**金消契約と登記の両方で使う枚数を金融機関に対して、事前に確認しておかなくてはなりません。**

ほとんどの買主さんは会社勤めの方であり、平日に貴重な有給を使って印鑑証明書を取得してくれています。ですから業者として買主さんに、二度も平日に役所に行ってもらうようなことにならないよう細心の注意を払う必要があるのです。

印鑑証明書　印鑑登録カード

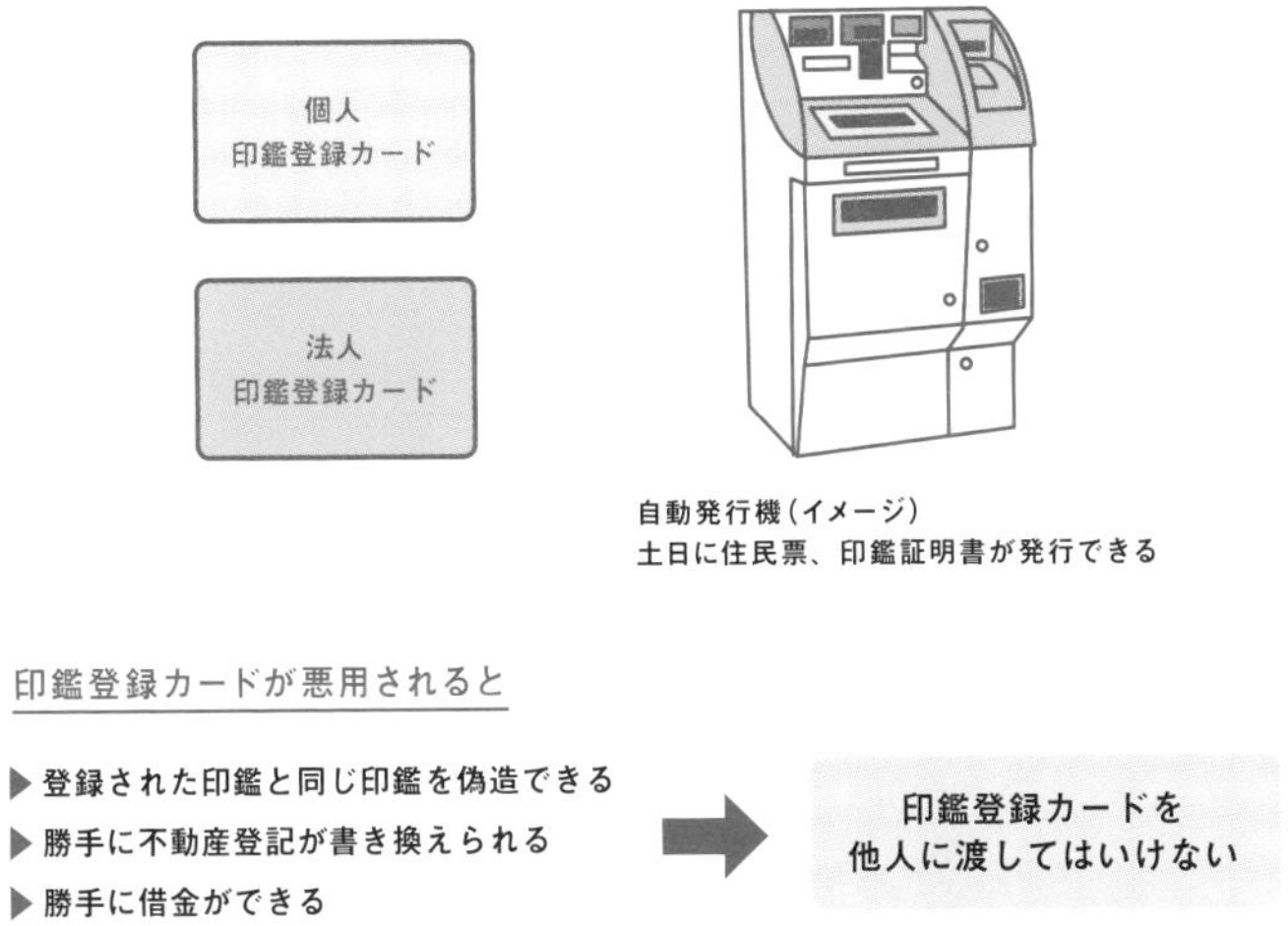

自動発行機（イメージ）
土日に住民票、印鑑証明書が発行できる
▶勝手に不動産登記が書き換えられる
▶勝手に借金ができる

他人に渡してはいけない

自治体にもよりますが印鑑証明書はマイナンバーカード（交付申請時に利用者証明用電子証明書の発行をしたもの）を所持していればコンビニなどでも取得可能です。もし買主さんがマイナンバーカードを所持している方であればコンビニで取得できることをお伝えするとよいでしょう。

なお、マイナンバーカードがあれば「印鑑証明書」以外にも「住民票」や「地方税の納税証明書」などもコンビニで取得できますので、一緒に取得してもらいましょう。

3 不安な買主さんに寄り添って金融機関に行く

金消契約は、買主と金融機関との間に結ばれる契約であり、不動産業者の出る幕はあまりありません。しかし、買主さんが利用する金融機関を自社で紹介した場合や、買主さんから求められるときは、率先して同行しましょう。

第5章の6節でお伝えしましたが、私たち不動産業者にとって最も緊張するのは売買契約を締結するタイミングであり、その後の金消契約や残金決済は粛々と処理を進めればよいのでクールダウンしています。

しかし、買主は違います。**売買契約と金消契約は買主の中で、不安が大きくなりやすいタイミング**なのです。

買主さんにもよりますが「こんなに大きな額の借金をして大丈夫だろうか」と緊張に包まれています。

そんな買主さんの緊張をほぐし、少しでもリラックスして金消契約を行っていただくためにも、物件探しから二人三脚でやってきた不動産業者が寄り添って金融機関に行くのがよいと思うのです。

特に金融機関を自社で紹介をした場合は、金融機関を訪問する日時も不動産業者が調整します。銀行、信金、ノンバンク等どの金融機関も月末付近の午前中は決済で予定が埋まりやすいため、月末付近に金消契約を行いたい場合は早めにアポイントを取ることが重要です。

金消契約では金融機関の担当がローンについて説明し、買主が持参した必要書類を提出します。金融機関にもよりますが、おおよそ左記のような書類の提出を求められます。

【買主さんの個人の情報】

- **免許証、保険証(身分証明書)**
- **源泉徴収票(3年分)**
- **確定申告書(3年分)**
- **預金残高のわかる通帳**
- **その他金融資産がわかるエビデンス**

【役所・税務署で取得する情報】

・印鑑証明書
・住民票
・納税証明書 各種（地方税、国税）

【不動産取引に関する情報】
・売買契約書
・重要事項説明書
・手付金領収書

当日の忘れ物を減らすためにも、できるだけ事前に買主さんにお伝えし、可能であれば金消契約までに各種書類をスキャナーで取り込み PDFファイルなどにして金融機関に送付しておくことをおすすめします。

ただし、エビデンスの改ざんなどの不正の影響で、預金残高などは通帳の原本確認が徹底されるようになりました。PDFにて金融機関に送付した買主さんの通帳の最終記帳日から1か月以上時間があいてしまった場合は、金消契約日直前に再度記帳をしてもらった通帳を持参してもらわなくてはなりません。

金消契約に寄り添うことはお客さんにとって大きな価値がある

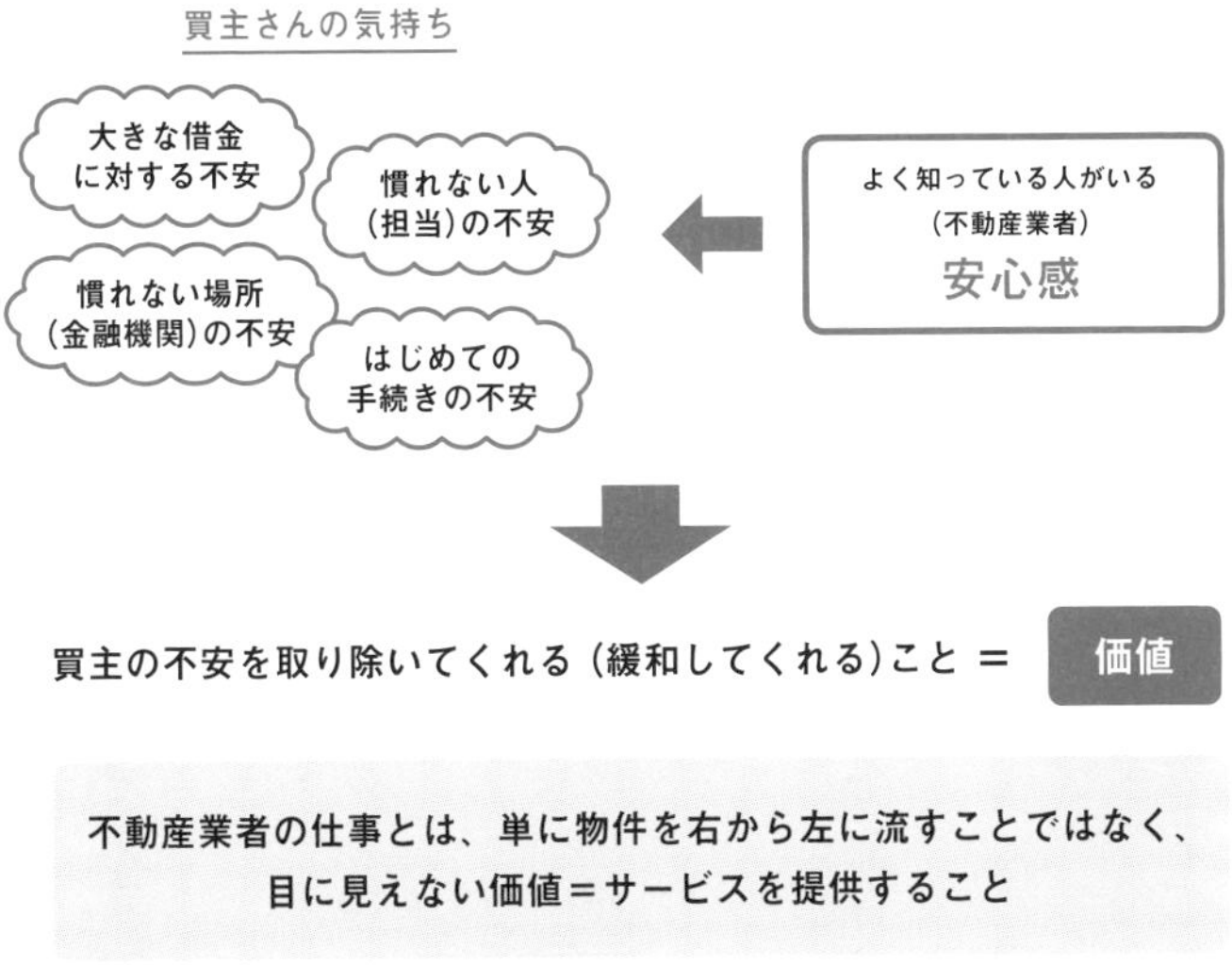
買主さんの気持ち
大きな借金
に対する不安
慣れない人
（担当）の不安
慣れない場所
（金融機関）の不安
はじめての
手続きの不安
よく知っている人がいる
（不動産業者）
安心感
買主の不安を取り除いてくれる（緩和してくれる）こと ＝
価値
不動産業者の仕事とは、単に物件を右から左に流すことではなく、
目に見えない価値＝サービスを提供すること

直近に何も取引がない場合は、通帳をＡＴＭに入れても何も記帳されずに戻ってきますので、ＡＴＭで１０００円の引出もしくは預入を行い記帳するようにお伝えします。

なお、通帳のないネット銀行などは、あらかじめ画面コピーを提出し、金消契約時にパソコンやスマホでログインして残高画面を金融機関の担当者が目視にて確認するので、当日はインターネットにつながるスマホやタブレット、パソコンを持参してもらうことも併せて買主さんにお伝えください。

4 決済時に精算する金額の計算方法

金消契約も無事に済んで、決済予定日が確定しました。取引完了まであと少しですがまだまだとても重要な計算が残っています。

その計算とは固定資産税・都市計画税（固都税）、家賃・預り敷金、管理費その他費用の精算金の計算のことです。

1 固定資産税、都市計画税の精算 ～売主側と買主側で計上科目が異なる

固定資産税や都市計画税は毎年1月1日にその不動産を所有している人に支払い義務が発生します。不動産売買ではその年の途中で所有者が変わるため、この税金について売主と買主の間で分けなくてはなりません。そのための計算をします。

具体的には1年を365日（うるう年は366日）として、1月1日（起算日といいます）

から**決済の前日までが売主、当日以降が買主として日数を出し計算します。**

固都税の計算には売主側から、固都税の金額がわかる書類として「納税通知書」のコピーを取得する必要があります。

「納税通知書」は毎年4月〜6月ころ、所有者に送付されてくる納税額を示す書類です。万が一、売主がこの書類を紛失している場合には役所等で「固定資産公課証明書」を有料にて発行し代用することもできます。いずれにせよ売主側業者が主体となって取得する書類なので、買主側は売主側業者に依頼して取得します。

ここで1つ不動産業者としてワンランク上のプロに見られるためのマメ知識があります。この固都税については売主側と買主側で確定申告時に計上する科目が異なるということです。売主はいつも通り税金として費用にできますが、買主は購入した不動産の土地建物価格に上乗せして固定資産として計上しなくてはならないのです。多くの場合、買主さんは固都税を全額費用に計上してしまいがちなのでアドバイスしておきましょう。

2　家賃、預り敷金の精算

アパートなど投資用物件で発生する家賃についてもその所有者が1か月単位で受け取ったり支払ったりするものですから、これらもその月の分を売主と買主で分けます。

こちらもその月の日数をもとに、決済の前日までが売主、当日以降が買主となるように計算します。

預り敷金については、現状で預かっている金額をそのまま売主から買主にお渡しします。

3　管理費その他清掃等委託費の精算

投資用物件で売主が管理会社や清掃会社に委託費を支払っている場合、買主がそのまま会社や清掃会社に委託を続ける場合、その費用も日割精算します。

こちらも計算方法は家賃と同様にその月の日数をもとに決済の前日までが売主、当日以降が買主となるように計算します。

これらの計算はそれほど難しいものではありませんし、売主側の業者も計算してくれるので、それらを検算して計算が合っていることを確認します。

4 最終的な精算金の計算書

前述の1～3項目を計算したら、決済時に最終的に支払う精算金を計算しましょう。買主さんの自己資金がギリギリになってしまう場合もありますので、できるだけ早めに計算し、当日の現金の流れを買主さんに伝えましょう。

精算金の計算書には、前述の1～3項目に加え、売買代金全額、手付金、ローン金額、ローン手数料、司法書士費用（登録免許税含む）、仲介手数料、印紙代などを盛り込みます。

買主やローンの条件によって、全額ローンで支払える場合もあれば、一部自己資金を準備してもらう場合もあります。特に現金で自己資金を用意してもらう場合は、ＡＴＭで引出可能な金額に制限があるため、買主さんがあらかじめ準備できるように、決済までに十分な日数をもって連絡してください。

固都税の計算方法

例えば6月20日に決済する場合

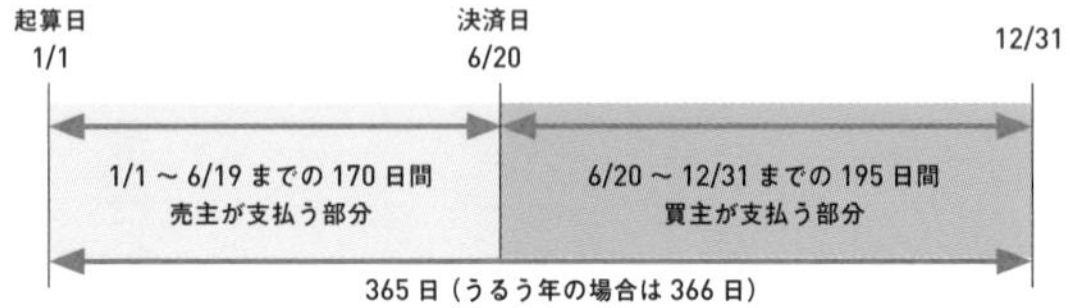

売主分の計算：固定資産税・都市計画税 年105,200円 × 170日 / 365日 ＝ 売主が支払う分 48,997円

買主分の計算：固定資産税・都市計画税 年105,200円 × 195日 / 365日 ＝ 買主が支払う分 56,203円

日割家賃の計算方法

例えば6月20日に決済する場合

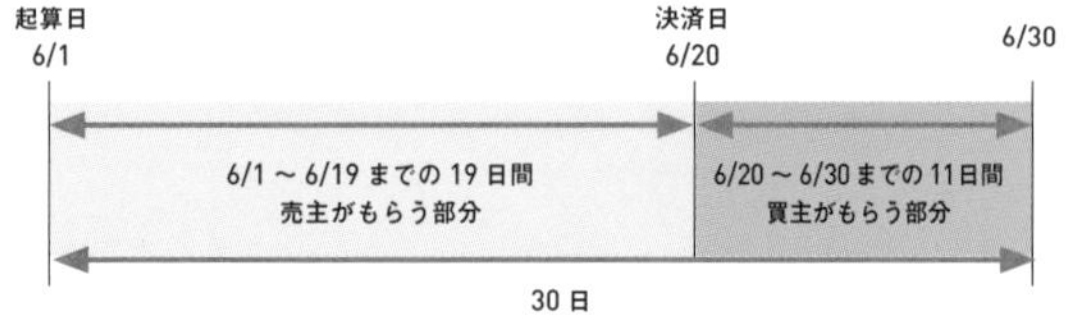

売主分の計算：6月分賃料合計 年421,000円 × 19日 / 30日 ＝ 売主がもらう分 266,633円

買主分の計算：6月分賃料合計 年421,000円 × 11日 / 30日 ＝ 買主がもらう分 154,367円

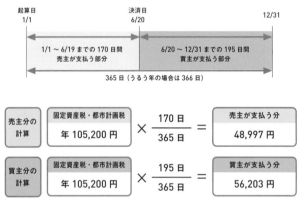

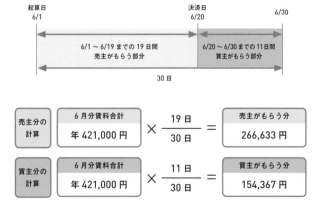

固都税、日割家賃の計算用エクセルシート

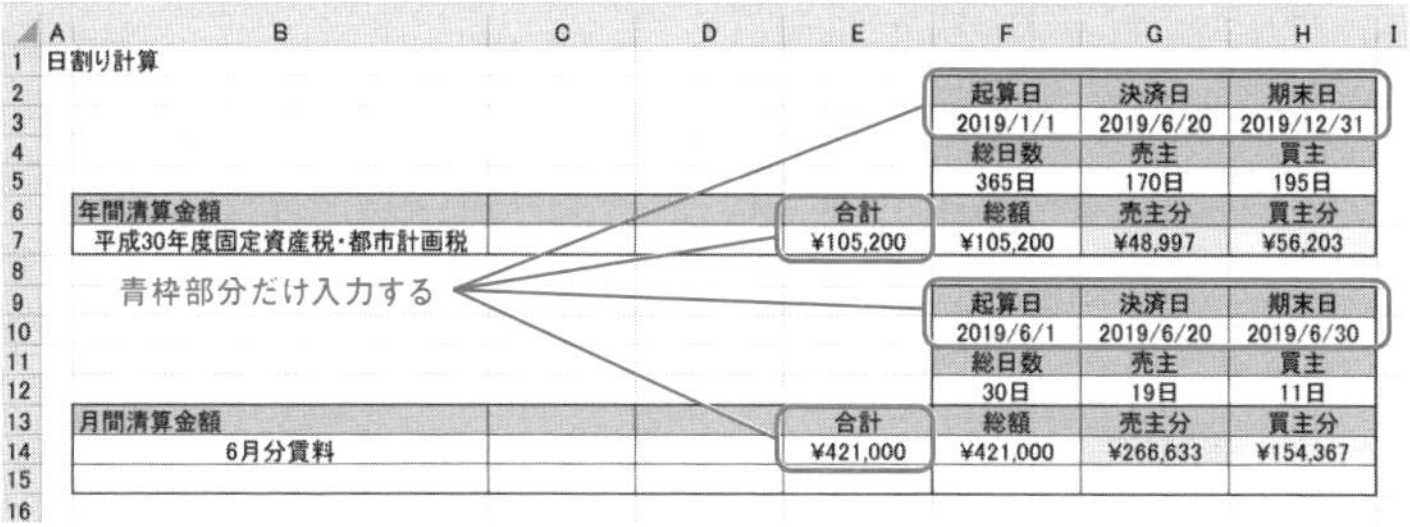

	A	B	C	D	E	F	G	H
1	日割り計算							
2						起算日	決済日	期末日
3						2019/1/1	2019/6/20	2019/12/31
4						総日数	売主	買主
5						365日	170日	195日
6		年間清算金額			合計	総額	売主分	買主分
7		平成30年度固定資産税・都市計画税			¥105,200	¥105,200	¥48,997	¥56,203
8								
9		青枠部分だけ入力する				起算日	決済日	期末日
10						2019/6/1	2019/6/20	2019/6/30
11						総日数	売主	買主
12						30日	19日	11日
13		月間清算金額			合計	総額	売主分	買主分
14		6月分賃料			¥421,000	¥421,000	¥266,633	¥154,367
15								
16								

青枠で囲んだ部分だけ入力すると、日割日数と金額が自動で計算されるように数式を組んでおくと便利。（日割計算を電卓や手計算で行うと間違いのもととなるので、必ずエクセルで行うクセを付けてください）
なお、日割計算シート（xlsx形式）は巻末のURLからダウンロードできますのでご活用ください。

最終的な精算金の計算書

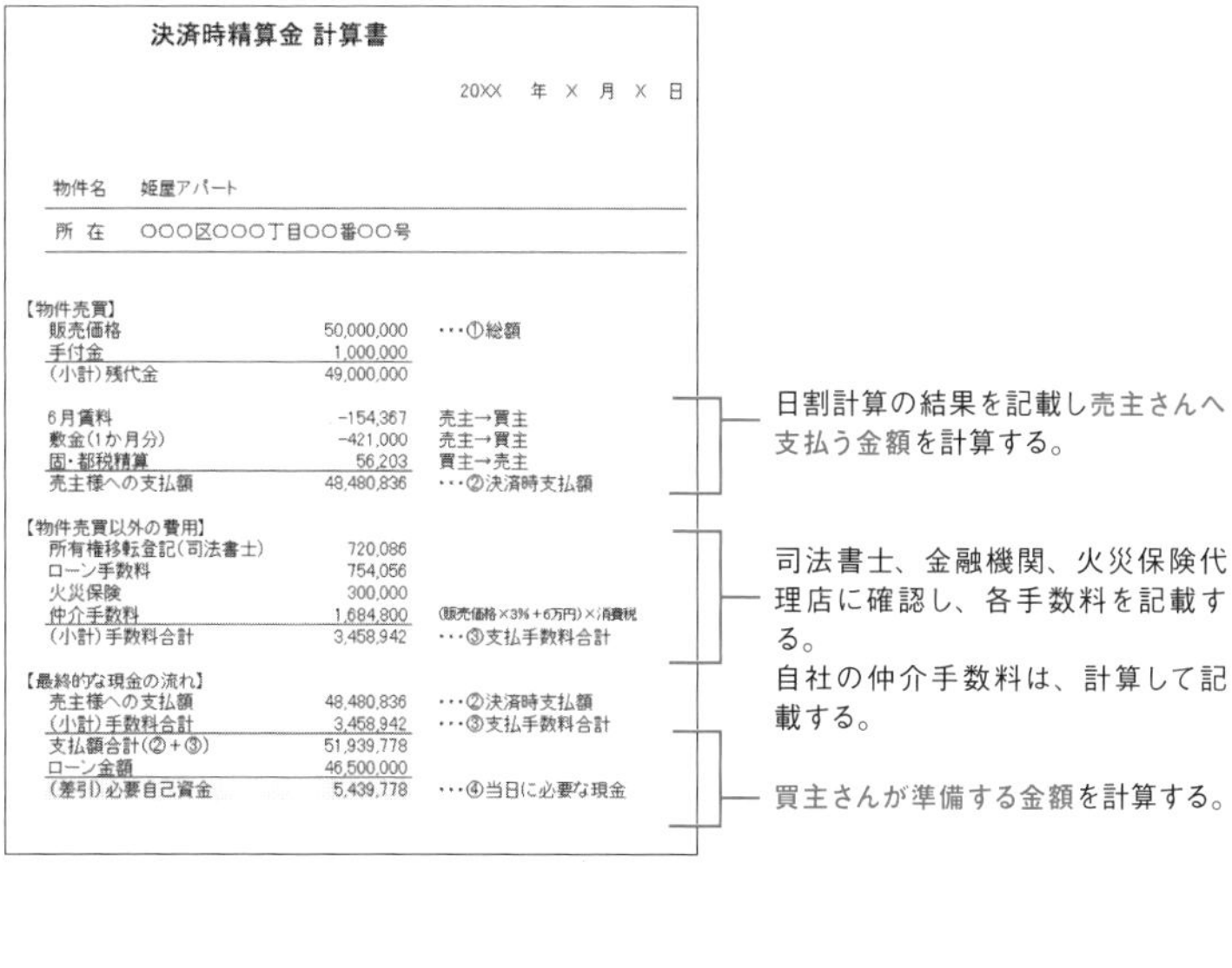

決済時精算金 計算書

20XX　年 X 月 X 日

物件名　姫屋アパート

所 在　〇〇〇区〇〇〇丁目〇〇番〇〇号

【物件売買】

販売価格	50,000,000	・・・①総額
手付金	1,000,000	
（小計）残代金	49,000,000	
6月賃料	-154,367	売主→買主
敷金（1か月分）	-421,000	売主→買主
固・都税精算	56,203	買主→売主
売主様への支払額	48,480,836	・・・②決済時支払額

【物件売買以外の費用】

所有権移転登記（司法書士）	720,086	
ローン手数料	754,056	
火災保険	300,000	
仲介手数料	1,684,800	（販売価格×3%＋6万円）×消費税
（小計）手数料合計	3,458,942	・・・③支払手数料合計

【最終的な現金の流れ】

売主様への支払額	48,480,836	・・・②決済時支払額
（小計）手数料合計	3,458,942	・・・③支払手数料合計
支払額合計（②＋③）	51,939,778	
ローン金額	46,500,000	
（差引）必要自己資金	5,439,778	・・・④当日に必要な現金

5 振込先口座の通帳確認が大切な金種の作成

決済時に精算する金額が確定したら、金種を作成しましょう。金種とは当日の現金の引き渡し方法及び金額を一覧化したものです。決済時に売主側から、残代金を複数の口座に分けて振り込んで欲しい、司法書士の代金は現金で渡してほしいと言われた場合、どの口座にいくら振り込み、いくら現金を引き出すのかを前もって整理しておかなくてはいけません。なお、振込手数料は1件目は買主側、2件目以降は売主側が負担するのが一般的です。

これらを事前に一覧にまとめておくことで、当日の振込先や金額の誤りを防止するのが金種を作る目的です。特にノンバンクは事前に振込伝票を作成しなくてはならないため金種の提出を求められます。

この金種作成にあたり1つだけとても重要なことがあります。それは、売主の振込先の口座の通帳を確認するということです。

金種作成にあたり売主が自分の口座番号を間違えて伝えてしまい、当日バタバタと伝票を再発

金種（振込先一覧）

No	種別	支払期限	振込先						振込金額
			金融機関名	支店名	口座種別	口座番号	名義人	フリガナ	
1	残代金支払	X月X日	○○信用金庫	○○支店	普通	0123456	○山 ○男	○ヤマ ○オ	¥XXXXXX
2	司法書士代金	X月X日	○○銀行	○○支店	普通	1234567	○田 ○造	○タ ○ゾウ	¥XXXXXX
3	仲介手数料	X月X日	当日、現金にて						¥XXXXXX

※お振込みにかかる手数料等のご負担をお願いします。

➡ **売主の振込先口座は、必ず通帳のコピー（スマホの写真でも可）を確認すること！**

行しなければならなかったことがあります。そのせいでかなり決済が遅れました。

不動産売買はとても大きな金額が動きます。万が一にも振込口座を間違えるわけにはいきません。ですので、売主の振込口座情報は、口頭やメールでのやり取りではなく**通帳のコピーを見て確認**する必要があるのです。

6 重要！関東と関西で異なる預り敷金や起算日の扱い

関東と関西で物件売買時に精算する金額の計算方法が異なります。投資物件では入居者から預かった敷金がありますが、関東では売買時に買主にこの預り敷金を渡します。売買代金から預かり敷金分を相殺するのが一般的です。それに対し関西では、買主に預り敷金を渡さないのが一般的です。

また、固定資産税や都市計画税を按分する際、関東では1月1日を起算日として、売主と買主の負担分を計算します。それに対し関西では4月1日を起算日として売主・買主双方の負担分を計算します。

関東の人と関西の人が取引をする場合は、あらかじめこういった違いがあることを説明したうえで、どちらの方式にするのかをきちんと話し合っておかなくてはなりません。

特に、預り敷金は規模の大きな投資物件になると百万円単位になってくるため、引き渡す引き渡さないでモメてしまう可能性を多分にはらんでいるからです。

関東と関西での違い

	関西ルール	関東ルール
預り敷金	引き継がない（買主に渡さない）	引き継ぐ（買主に渡す）
固都税の起算日	4月1日	1月1日

➡ 預り敷金は金額が大きいためモメないよう、重説・契約書に精算方法を記載する！

関東の人と関西の人が売買を行う場合は、あらかじめ取り決めた方法で精算することに双方合意してもらい、その内容を重要事項説明書や契約書の容認事項に記載しておく必要があることに注意してください。

7 決済前夜までに準備しておくもの
～売主側業者

売主側業者は決済までに左記のものを揃え当日持参しましょう。

決済までに準備しておくもの
（売主側業者）

- 残代金の領収書（売主が発行するもの）
- 固都税の領収書（売主が発行するもの）
- 日割家賃の領収書（買主が発行するもの）
- 預かり敷金の領収書（買主が発行するもの）
- 仲介手数料の領収書
- 印紙（予備）
- 金種（振込先一覧）
- カギ一式
- カギ一覧
- 賃貸借契約書（原本）
- 取引完了書
- 領収書の束
- 社判

まず、必要な領収書類です。物件の残代金の領収書は手付金を除いた金額を記載し、買主の宛名を記載しておきます。固都税は買主から売主に支払われるので、買主宛ての領収書を作成します。投資物件の場合、これに加えて日割家賃の領収書と預り敷金の領収書も作成しておきます。この2つは、買主が売主宛てに発行するものですので、本来は買主側の業者が用意すべきですが、万一用意していないときのために、こちらで準備しておきます。次に仲介手数料の領収書です。当日お支払いを受ける予定金額を記載し、収入印紙を貼り、社判を押しておきましょう。作成したらコピーをとっておきます。印紙については決済時に貼り付けても構いませんが、割り印を忘れないようにしてください。なお、200円の印紙については予備を数枚持参しておくと便利です。

それから当日のお金の動きをまとめた金種（振込先一覧）も忘れずに持参します。

売主から物件のカギを預かっている場合、そのカギ一式を持参します。カギ一式とともにカギの番号と本数を書いたカギ一覧を作成しておきます。このカギ一覧は決済時に買主側に確認をしてもらうためのものです。

投資物件の場合は、賃貸借契約書の原本も持参します。

取引完了書は、物件を引き渡しましたということを買主に署名捺印いただく書類です。

最後に領収書の束と持ち出し可能であれば社判を持参します。これらは領収書を再発行する際などに利用します。

8 決済前夜までに準備しておくもの
～買主側業者

買主側業者は決済までに左記のものを揃え当日持参しましょう。

前日までに準備しておくもの（買主側業者）

- 残代金の領収書（売主が発行するもの）
- 固都税の領収書（売主が発行するもの）
- 日割家賃の領収書（買主が発行するもの）
- 預り敷金の領収書（買主が発行するもの）
- 仲介手数料の領収書
- 印紙（予備）
- 金種（振込先一覧）
- 領収書の束
- 社判

まずは領収書類です。残代金の領収書と固都税の領収書については売主側が用意するものですが、万一に備えこちらでも準備しておきます。投資物件の場合はこれに加え、日割家賃と預り敷金の領収書を作成しておきます。これらの領収書は当日、買主に署名捺印してもらうため、発行者のところは空欄にしておきます。仲介手数料の領収書は印紙を貼り、社判を押します。作成したらコピーをとっておきましょう。収入印紙については決済当日に貼っても構いませんが、割印を忘れないようにしてください。また、印紙については予備として200円のものを数枚用意しておきましょう。金種についてはすでに銀行などに提出している場合もありますが、念のため持参します。

最後に、領収書の束と持ち出し可能であれば社判を用意しましょう。万一、領収書の内容が間違っていた場合や、破けてしまった場合などにその場で再発行できるように準備しておきます。

これらの当日持参するものについては、全てA4ファイルにひとまとめにし、翌日に持って行くカバンにしまえば準備完了です。

9 売主・買主が決済当日に持参するもの

決済当日、売主にしても買主にしても、お客さんのテンションはMAXです。金融機関の応接室に、売主・買主、それぞれの業者、金融機関の担当者、司法書士が一堂に会し、決済スタートです。最初に登記を担当する司法書士が、売主・買主が持参した権利証や印鑑証明書などの確認や登記の委任状など必要書類の作成を行います。司法書士は金融機関のローンを用いる場合は、金融機関が指定した方が担当することになります。

登記に必要な書類の確認後、金融機関の担当者に融資の実行を依頼します。融資実行から着金まで通常は30～40分くらいかかりますが、月末など融資件数が多いときには1時間以上待つことになります。

その間に売主と買主にそれぞれ、前日までに用意した領収書などの記入や捺印をしてもらいます。具体的には「物件本体の残代金の領収書」「固都税の領収書」「日割り家賃の領収書」「預り敷金の領収書」「取引完了書」などにそれぞれ署名捺印してもらい、保管用にコピーを取得しておきます。また、カギ一覧を見ながらカギの番号を1つ1つ確認します。賃貸借契約書の原本については、全室の最新のものがあるかをチェックします。

買主が売主と会えるのは、このタイミングが最後ですので、物件についての質問があれば、聞いておきましょう。

売主が電話もしくは近くのATMで通帳を記帳するなどして、着金確認が取れれば決済完了です。おめでとうございます。これであなたの苦労が報われることになります。

仲介手数料を支払ってもらい、仲介手数料の領収書を売主・買主それぞれにお渡しすれば全て完了となります。

なお、最近では仲介手数料は振り込みで受け取る会社が多いようですが、古い会社だといまだに現金で受け取っていることもあります。その場合、電車に置き忘れたりしないように気を付けて帰社してください。

決済当日に売主・買主が持参するもの

売主が用意するもの

- 権利証(登記識別情報)
- 印鑑証明書
- 実印
- 受取口座の通帳
- 身分証(免許証など)
- 物件のカギ、賃貸借契約書など

〈住所変更登記が必要な場合〉

- 住民票
- 戸籍の附票

買主が用意するもの

- 印鑑証明書
- 住民票
- 実印
- ローン口座の通帳
- 銀行印
- 身分証(免許証など)

➡ 当日は、事前に司法書士に確認した通りの書類を持参してもらいます

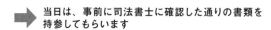

第 8 章

仕事をしながら宅建に合格する勉強法

1 宅建は簡単？ まずは方針を決めよう

不動産業者に勤務する以上、誰もが一度は意識するのが宅建（宅地建物取引士）の取得です。重要事項説明が可能となる唯一の資格であり、不動産業を立ち上げるにあたり必ず求められるものです。事務所の人員のうち5人に1人は宅建士の設置を義務付けられているため、会社としても資格の取得を推奨していることが多いです。また、個人的にも資格手当がもらえたり、仕事の知識が身についたりするため取得した方がよいことは確かです。

本当の一人前になるために避けては通れないこの宅建士ですが、仕事をしながら試験勉強をするのはかなり骨が折れます。この章では仕事をしながら宅建を取得する勉強法について説明します。

まず、大前提として宅建取得の難易度について把握してください。宅建は年一回行われる試験でその合格率はおおよそ15％と言われています。50点満点中35～39点あたりを取得すれば合格圏内といえますが、その年の受験者の点数により合格ラインは調整されるためできるだけ合格ラインよりも高い点数をとることが求められます。

次に必要な勉強時間数ですが、個人差はありますが一般的には200時間の勉強が必要といわれています。そして一年目の新人にとって、これは結構ハードルが高いといえます。慣れない仕事でヘトヘトになりながら、これだけの勉強時間を確保することは結構大変です。

資格試験の学校に行けば、強制的に授業時間が確保され、洗練されたテキストと最新の情報で受験対策もできるのですが、新入社員にとって授業料はちょっと高いかもしれません。

また、残業や休日出勤などが発生すると授業に参加できなくなるため、現実問題として学校に通うのは難しいといえます。そのため多くの人が独学での資格取得を目指しています。

独学であれば時間の融通も利き、費用が圧倒的にかからないというメリットがあるからです。しかし、テキストを自分で選ばなくてはならないため、テキスト選びのスキルが必要になりますし、なにより強制的に授業を受けさせられる学校と異なり、自らの意志の力だけで勉強をしなくてはならないというデメリットもあります。

そこで、私がおすすめするのは、まず「初年度は独学でチャレンジ」し、ダメだったら「翌年は学校に通う」という方針です。

入社したばかりの初年度は、仕事だけでも精いっぱいなので正直、学校に通う余裕はないと思うからです。せっかく高い授業料を払っても通うことができなくなったら本末転倒です。それに1

宅建の難易度について把握する

宅建試験の基本情報

試験の頻度	年1回
合格圏	35～39点 (50点満点)
合格率	15％前後
必要な学習時間	平均200時間

年くらい働いているうちに、不動産業界を辞めたくなるかもしれません。不動産業界以外では宅建はほぼ無価値な資格ですので、大金をはたいて取得しなくてもよいと思うからです。

たった一回、初年度の宅建試験に落ちた程度であれば周りから許してもらえます。1年間仕事の状況に合わせて勉強してみてダメだった場合は、本当にこの資格を取りたいかどうかしっかりと自分の将来を見つめなおしてください。そのうえで翌年は背水の陣で学校に通うという選択肢をとるのでもよいと思います。その頃には仕事にも慣れ、通学できるようになっているかもしれません。

独学と学校のメリット・デメリット

	メリット	デメリット
独学	▶時間が自由 ▶費用が安い(1万円くらい)	▶強い意志の力が必要 ▶テキスト選びのスキルが必要
学校	▶強制的に時間を確保できる ▶テキストが洗練されている ▶最新情報で受験対策できる	▶費用が高い(10万円以上) ▶仕事で通えないともったいない

おすすめする受験勉強方針

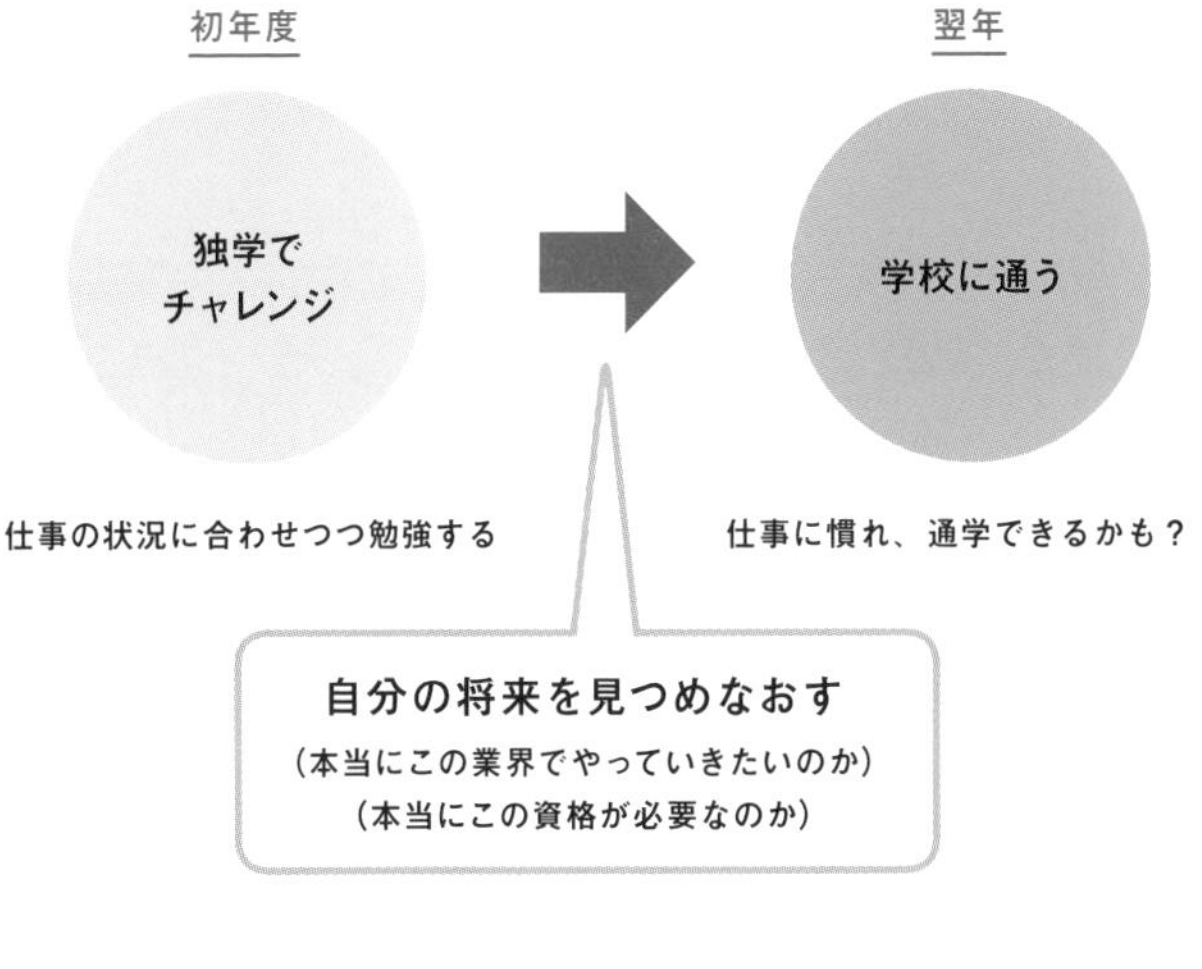
初年度
翌年
独学で
チャレンジ
学校に通う
仕事の状況に合わせつつ勉強する
仕事に慣れ、通学できるかも?
自分の将来を見つめなおす
(本当にこの業界でやっていきたいのか)
(本当にこの資格が必要なのか)

2 テキスト選びから始まる宅建合格への道

宅建を独学で勉強するために最も重要な能力は、テキスト選びのスキルです。これから新しいことを学ぶ場合、正しく教科書を選ぶことができるかによって、合格までの距離が伸び縮みするのです。最短距離で合格する正しいテキスト選びのポイントは2つです。

1つめは「大手の資格試験学校が出版する教科書」を選ぶということ、2つめは「やさしい教科書と難しい教科書の2冊」を選ぶということです。

1 大手の資格試験学校が出版する教科書を選ぶ理由

資格試験に合格したいと思ったら、必ず大手の資格試験学校の教科書を用いてください。資格試験は時流に合わせて毎年少しずつ問題の傾向が変わります。特に法律が改正される時などには、その改正法に則った問題などが出題されます大手の資格試験学校は多数の講師を抱えており、また過去の蓄積データから出題頻度の高い、すなわち学習の優先度の高いものを選び出すことができます。その情報を惜しげもなく披露しているのが大手資格試験学校の教科書です。

たった1000円程度の教科書に彼らの持つ圧倒的な情報が全て詰め込まれているため、コストパフォーマンスはピカイチです。また、大手の試験資格学校の教科書は必ず、その教科書に完全対応した問題集が併売されています。

教科書で読んだページから、すぐにそのページの関連問題を解くことができるので、非常に効率よく勉強することができる仕組みが作られています。

あまり勉強に自信がなく、教科書をどう選んでいいかわからない人は、書店に行って、まずは大手の資格学校が出版している教科書と問題集を購入しましょう。

なお、大手の資格学校は2つか3つしかありませんので、その中から選べばよいでしょう。どの学校も弁護士や会計士など超難易度の高い資格に多数の合格者を出しているところです。必ずそれらの学校が出版した教科書の中から選んでください。

2 やさしい教科書と難しい教科書の2冊を選ぶ

最初はやさしい教科書から始めます。大手の資格学校が出している教科書の中で「基本」や「はじめての」や「やさしい」などと書いてあるものの中から、最も自分にとってやさしいと感じるものを選択してください。

どれを選択するかは個人の好みに合わせて構いません。たくさんの色が使われているもの、モノクロのもの、字が大きいもの・小さいもの、絵や図が多いもの・少ないものなど、自分の好みに合わせます。

その珠玉の一冊を選んだら、それに完全対応した問題集とセットで購入しましょう。たいていの「やさしい」教科書には、教科書内にちょっとした練習問題が書かれていますが、それだけだと練習量が不足するため、完全対応した問題集は必須アイテムです。

まずは、この「やさしい」教科書と問題集のみで学習スタートです。最初はこれらの教科書と問題集を最初から最後まで終わらせます。

このやさしいセットが終わったら、今度は宅建の「過去問」に挑戦します。書店で「過去問」を購入してきて過去10年分くらいやります。

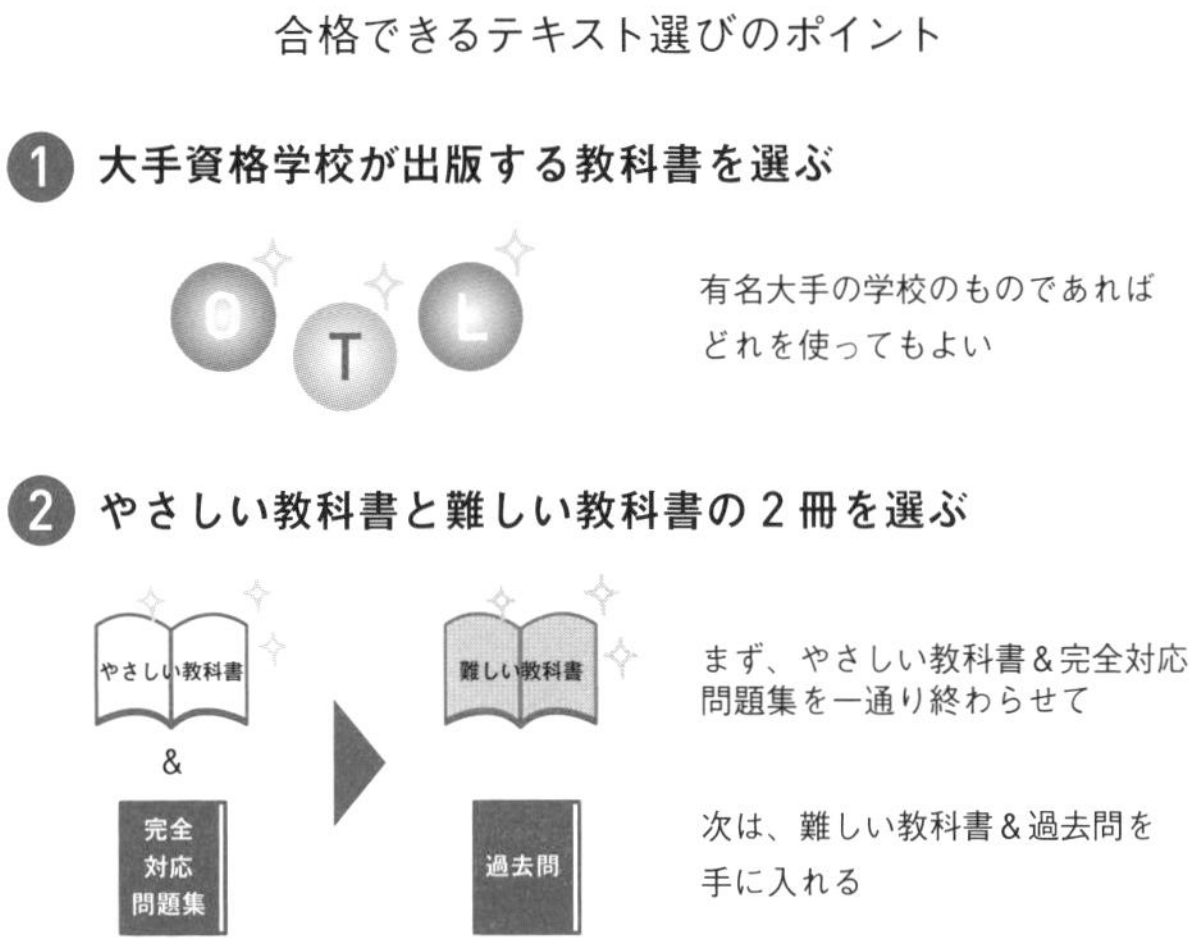
合格できるテキスト選びのポイント
1 大手資格学校が出版する教科書を選ぶ
T
有名大手の学校のものであれば
どれを使ってもよい
2 やさしい教科書と難しい教科書の2冊を選ぶ
やさしい教科書
&
完全
対応
問題集
難しい教科書
過去問
まず、やさしい教科書&完全対応
問題集を一通り終わらせて
次は、難しい教科書&過去問を
手に入れる

過去問を進めていると「やさしい」教科書に載っていないマニアックな問題に出くわします。教科書に載っていないので当然その問題を解くことはできません。

そこではじめて「難しい教科書」を購入することになります。「難しい」というのは、宅建についての知識がほぼ全て入っているという意味です。マニアックな過去問にも対応できるほど細かな知識がちりばめられている反面、難しい法律用語などが多数出てくるため、かなり読みづらい教科書です。「完全」とか「パーフェクト」などと銘を打ってあるものが該当します。どれを購入してよいか迷ったら、やさしい教科書には載っておらず、解けなかった過去問に関連する説明が書いてある教科書を選ぶようにしてください。

このように自分の学習到達度に即して「やさしい教科書と難しい教科書の2冊」を選んでください。

3 一・二・三フェーズで合格圏内に向かう

それでは具体的に学習する方法を見ていきます。学習フェーズは大きく3つに分かれます。第一フェーズは「やさしい教科書完全読破フェーズ」です。第二フェーズは「教科書反復横跳びフェーズ」です。第三フェーズは「ダメ押しフェーズ」です。

基本的に第一フェーズと第二フェーズを２００時間かけてクリアすれば合格圏内となります。第三フェーズは時間に余裕がある場合に実行してください。

1 やさしい教科書完全読破フェーズ

まずは、やさしい教科書の最初から最後まで読むフェーズです。最初のうちにできるだけ早く全体像を把握するために、できれば**1～2か月程度でサーっと読破してください。**サーッと読むといっても、単に黙読するわけではなく、蛍光ペンを片手に重要な部分に線を引きながら読みます。

蛍光ペンで重要な部分をマーキングしながら、何度も口に出して覚えます（電車の中ではシャドウィング：口パクで）。

重要な部分は下線が引いてあったり、太字になっていたりするので、そこをなぞればOKです。**一通り教科書を読み終えたら、もう一度、最初から読みなおします。このときは、教科書の最初から2回目の読み込みを行いつつ、同時購入した完全対応の練習問題を解きます。**

問題の答え合わせをし、間違えた問題に該当する教科書の章（節）を丸々読み返します。このときのポイントは間違えた問題の部分の文章だけでなく、それが書かれている章（節）をまるごと読み返すことです。例えば、問題が「教科書の3－2」の中の一文に関連するのであれば、その一文だけでなく「3－2まるまる」全てを読み返すということです。これにより、間違えた問題の前後の知識もつき、類似問題でも対応できるようになっていきます。

間違えた問題の該当する章（節）を読み終わったら、再度間違えた問題を解いてください。この問題に成功するまで何度も何度もその章（節）を繰り返し読みましょう。

2 教科書反復横跳びフェーズ

第二フェーズは、教科書反復横跳びフェーズです。やさしい教科書と過去問、そして難しい教科書を反復横跳びのように見ていくのです。

具体的にはまず、過去問を解きます。やさしい教科書と問題集を最初から最後まで一通り終えているので、半分以上の問題は解けると思います。

解けなかった過去問については、やさしい教科書の該当する章（節）を再度読み込み、解けるようになるまで繰り返します。

しかし、過去問を解いていると、やさしい教科書に載っていないような難しい問題に直面します。やさしい教科書はあくまで基礎力をつけるものであり、過去問全ての内容は網羅されていないからです。

ここで難しい教科書の出番です。やさしい教科書には載っていない、過去問で解けなかった難しい内容の解説を、この難しい教科書でしっかりと学習します。

学習の方法は、**難しい教科書を読み、その内容を、やさしい教科書の該当部分の章（節）の余白に書き加える**というものです。そうすることで、基礎的なことしか書かれていなかった、やさしい教科書の中に、難しい内容が記載されていきます。

あくまで学習のベースはやさしい教科書であり、そこにノートをとる感覚で、難しい教科書の内容を書き加えるのです。これにより、やさしい教科書は世界で一冊のあなただけの教科書となります。

あなただけの教科書の完成度が高まれば高まるほど、試験の合格が近づいてくるのです。

このように、過去問→難しい教科書→優しい教科書というように反復横跳びをしながら過去問10年分をクリアしてください。

なお、**過去問を行う際はできれば実際の試験と同様に時間を計りながら解いてください**。スマホのタイマー機能などを2時間（5問免除の場合1時間50分）にセットし、時間内に全問を解き終わるようにするクセを付けるためです。

どうしても2時間連続で学習時間を確保できない場合は、最低でも1時間で問題の半分までと、時間を決めて過去問を解いてください。

過去問10年分が終わったら、また1から戻って10年分を繰り返しましょう。

3 ダメ押しフェーズ

第一、第二フェーズをしっかりとこなし200時間の学習を進め、世界で一冊のあなただけの教科書ができ上がった頃には、すでに合格圏である35点に手が届くようになっています。

ここで、まだ受験までに時間的余裕がある人はもう一押し、ダメ押しフェーズに突入しましょう。第二フェーズで、すでに過去問10年分を2回以上やっているため、すでにあなたは過去問では45点以上が取れるようになっています。

ただこの点数は正確にはあなたの実力ではありません。なぜなら同じ過去問をやりすぎているため、問題をなんとなく暗記しているために取れる点数だからです。つまり、この時点になると、問題を見ただけで、答えの選択肢がなんとなくわかるのです。実際に過去問を解くと、問題を見た瞬間に「あ、これは○○の問題だから、確か選択肢3が答えだったはず」みたいな既視感を覚えるはずです。

これではいくら過去問をといても力が付かないのは言うまでもありません。そこでダメ押しフェーズでは「予想問題」を導入します。

書店の宅建コーナーには、過去問以外に予想問題が売られています。これを2～3冊購入してきます。

そして、第二フェーズと同様に、時間を決めて予想問題を解き、間違えたところは難しい教科書で確認し、それをやさしい教科書の余白に書き写し、あなただけの教科書の完成度を上げていきます。

問題を解き、間違えた問題に関連する章（節）を一通り読み返し、余白に追記する。これを購入した予想問題全てで行います。

予想問題はほとんどオリジナルの問題ばかりなので、問題を見た瞬間に答えがわかるということもなく、あなたの現時点での実力がわかると思います。
はじめて解く予想問題で38〜40点くらいとれるようになっていれば、自信を持って本番に臨めるでしょう。

第一・二・三フェーズごとの学習法まとめ

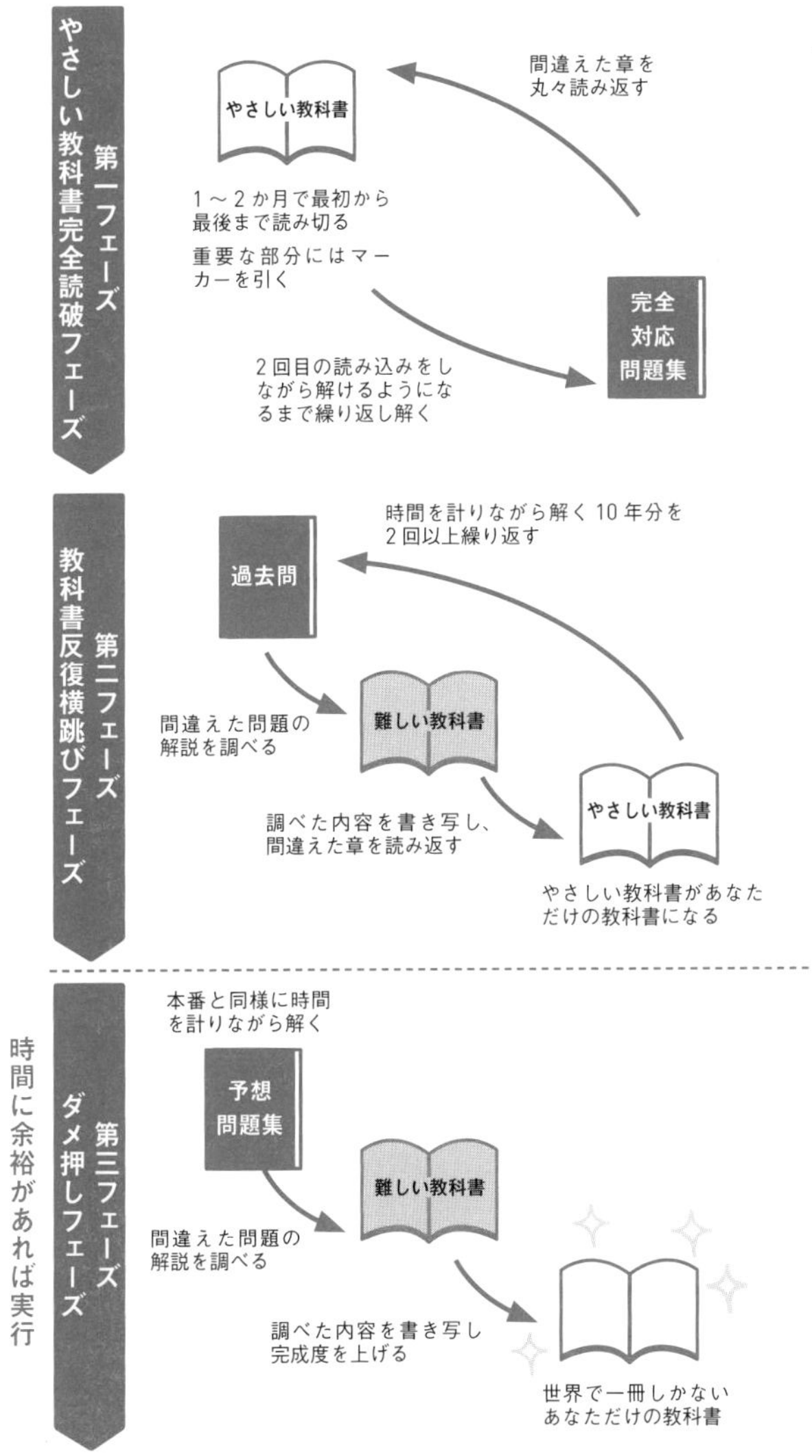
第一フェーズ
やさしい教科書完全読破フェーズ
やさしい教科書
1〜2か月で最初から最後まで読み切る
重要な部分にはマーカーを引く
間違えた章を丸々読み返す
完全対応問題集
2回目の読み込みをしながら解けるようになるまで繰り返し解く
第二フェーズ
教科書反復横跳びフェーズ
過去問
時間を計りながら解く10年分を2回以上繰り返す
難しい教科書
間違えた問題の解説を調べる
やさしい教科書
調べた内容を書き写し、間違えた章を読み返す
やさしい教科書があなただけの教科書になる
時間に余裕があれば実行
第三フェーズ
ダメ押しフェーズ
本番と同様に時間を計りながら解く
予想問題集
難しい教科書
間違えた問題の解説を調べる
調べた内容を書き写し完成度を上げる
世界で一冊しかないあなただけの教科書

4 モチベーションを保つレコーディング勉強法

正しいテキストを選び、フェーズ別に勉強するという指針を立てたものの、どうしてもやる気が持続しないというのが人間の性です。最初はやる気に満ちて勉強していても、毎日遅くまでへとへとになって仕事をしていると「今日は仕事で疲れたし勉強しなくていいや」となりがちです。

そんな自分のモチベーションを保つための方法が、レコーディング勉強法です。この勉強法は〝レコーディング〟すなわち〝記録〟をとるという方法で、勉強の達成度を客観的に把握しつつ、モチベーションを管理するものです。

毎日、体重を計り記録をとるレコーディングダイエットという手法があります。記録をとることで、確実に成果が出ているという実感を持つことができ、モチベーションを保つ手法です。

宅建の勉強をする際も同様に、少しずつでも進んでいることを実感するために記録をとることがモチベーションを保つ意味でも重要になってくるのです。

具体的には、エクセルを使って「学習達成度管理シート」を作ります。エクセルが得意でない人は、せっかくの機会ですので、エクセルの練習も兼ねて作ってみてください。

今日から試験日までの日付を縦に並べ、残り日数をカウントダウンします。その日に行うべき学習予定と実際に学習したテキスト、問題集を書き込む欄、そして最も大切な勉強時間を書き込む欄を作ります。その横に累積の勉強時間を書き込む欄を設け、一番右に最終日までに200時間到達する本来あるべき理想の累積勉強時間を入れます。

これを印刷して毎日持ち歩き、勉強した分だけ書き込んでいきます。この表を見ることで自分がこれまで何時間勉強してきたかがわかり、理想の累積勉強時間を超えているのか不足しているのかを知ることができます。平日に勉強時間が取れなかったら、その分、土日に2倍頑張ろうと客観的に見ることができます。

この「学習達成度管理シート」に従って勉強時間を累積していけば、自動的に最終日の1日前には200時間を達成できるのです。

独学での勉強はモチベーションの維持が難しいので、この数字を見ながら自分にご褒美を与えるというのもよいでしょう。

私自身は1日の勉強時間が2・5時間を超えたら、ビールを飲んでいいというようにご褒美ルールを設け、頑張って2・5時間勉強するようにしていました。また、例えば累積100時間を達成したら、ご褒美にちょっと高いボールペンを買うなんてのもよいかもしれません。

レコーディング勉強法でモチベーションを維持しよう！

学習達成度管理シート　　試験日　20XX/10/18

日付	残り	学習予定	テキスト	問題集	時間	累積	本来
7/29 (水)	81日	1章	1-1、1-2、1-3	1-1、1-2、1-3	2.0	2.0	2.5h
7/30 (木)	80日	〃	1-4～1-9	1-4～1-9	3.5	5.5	4.9h
7/31 (金)	79日						7.4h
8/1 (土)	78日						9.9h
8/2 (日)	77日						12.3h
8/3 (月)	76日						14.8h
8/4 (火)	75日						17.3h
⋮							
10/11 (日)	7日						185.2h
10/12 (月)	6日						187.7h
10/13 (火)	5日						190.1h
10/14 (水)	4日						192.6h
10/15 (木)	3日						195.1h
10/16 (金)	2日						197.5h
10/17 (土)	1日						200.0h
10/18 (日)	0日		試験当日				

毎日の勉強時間と累積勉強時間を書き込んでいく
本来の累積時間を超えていればOK
超えられない場合は、危機感を持つことができる

試験前日には200時間を
達成できるよう
1日の勉強時間を決める

➡ **自分へのご褒美も活用して、モチベーションを高めよう！**

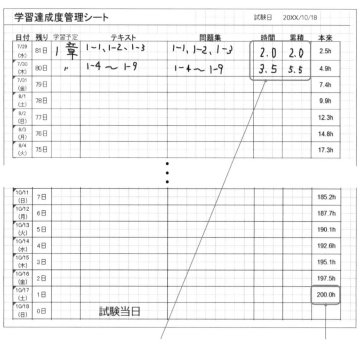

5 「5問免除」を活用しよう！

不動産業者に勤務をしている人は、宅建登録講習を受けることで5問免除の恩恵を受けることができます。一度、この宅建登録講習を受けるとその後3年は宅建の全50問中5問は免除されるという特権です。要するに何もせずに5点プラスされるのです。

宅建を受験するのであれば、この講習は必ず受講しましょう。講習は大手資格学校で実施されており、費用は2万円ほどです。この講習を受けた人の合格率は、受けなかった人よりも5％ほど高いため、それだけのお金をかける価値があります。

不動産会社によっては、この宅建登録講習を受ける費用を援助してくれるところもありますので、会社の上司に相談してみましょう。

ただし、この講習は不動産業（宅建業）で仕事をしている人しか受けることができません。受講時には宅建業の従業者証明書（従業員証等）を見せなくてはなりませんので、従業員証を持参してください。

絶対受けたい5問免除の恩恵

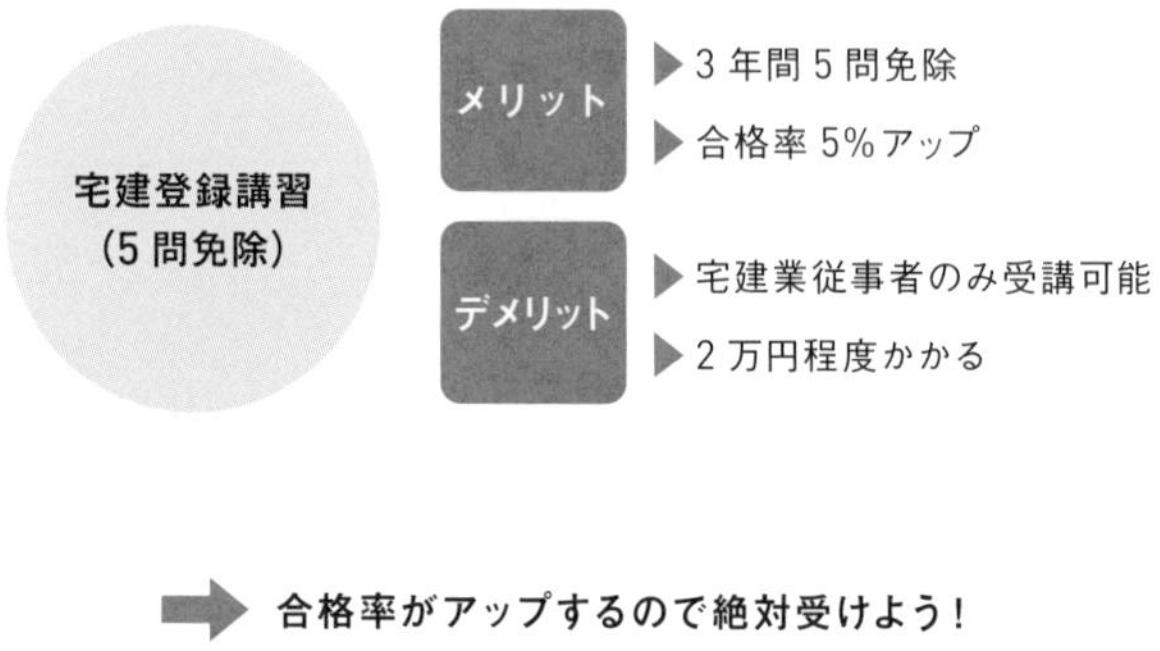
宅建登録講習
（5問免除）
メリット
3年間5問免除
合格率5%アップ
デメリット
宅建業従事者のみ受講可能
2万円程度かかる
合格率がアップするので絶対受けよう！

免除される5問は、「土地の形質、地積、地目及び種別並びに建物の形質、構造及び種別に関すること」と「宅地及び建物の需給に関する法令及び実務に関すること」の項目の中から出題されます。

特に後者は、前年の宅建業登録者数や、地価の上昇率など時事ネタの問題となりますので、過去問や問題集だけでは対応ができません。

5問免除を受けることで、これらの時事ネタを自力で勉強しなくてもよくなりますので、そのぶんだけ有利になります。

なお、時事ネタ問題を独学で勉強するには、2つの方法があります。

1つは勉強に用いている資格学校の教科書などに〝おまけ〟でついてくる時事ネタ予想問題を郵送で取り寄せることです。大手の資格学校の教科書の中には、この時事ネタ予想問題を送ってくれる

独学で時事ネタ問題を攻略する2つの方法

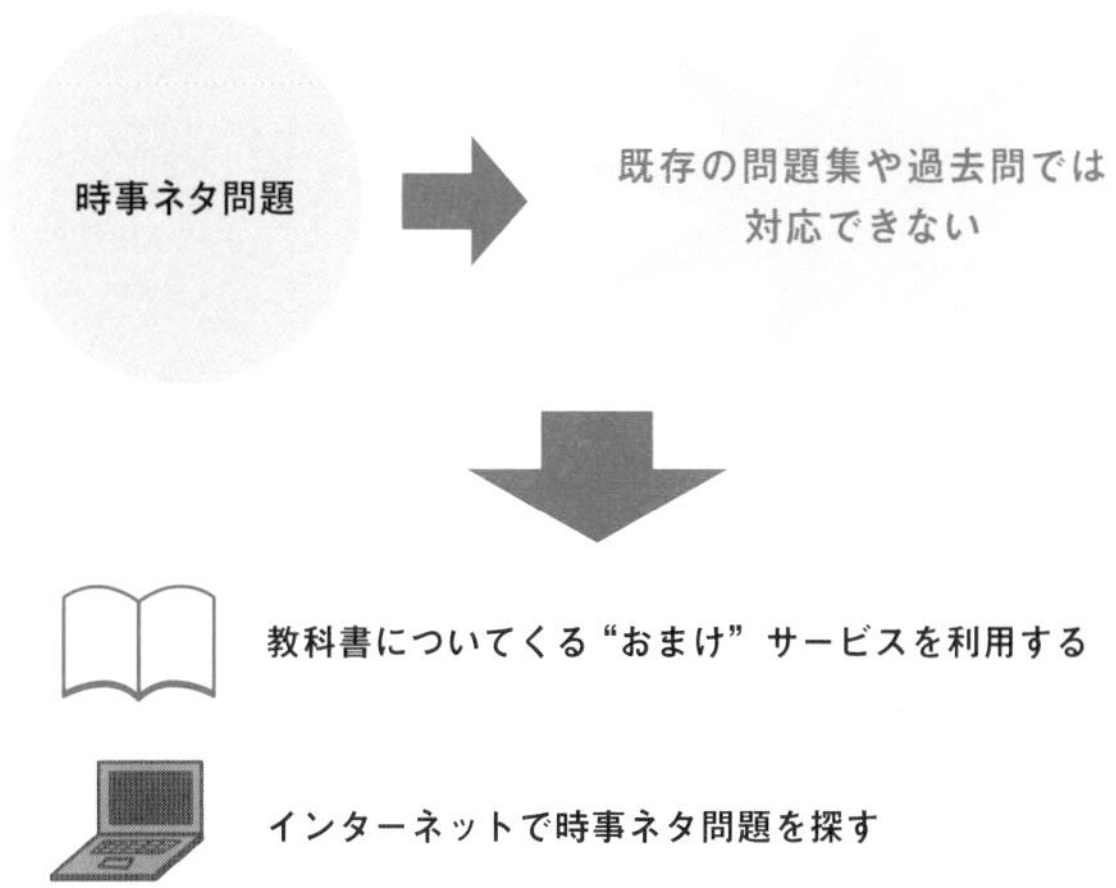
時事ネタ問題
既存の問題集や過去問では
対応できない
教科書についてくる“おまけ”サービスを利用する
インターネットで時事ネタ問題を探す

サービスが付属しています。サービスの見返りとして、個人情報を登録しなくてはなりません。そして翌年以降、その学校から入学のお誘いがかかってくるかもしれません。しかし、背に腹は代えられません。使っている教科書にそのような〝おまけ〟がついていれば活用してください。

もう1つの方法は、インターネット上にある時事ネタ予想問題を解くことです。学校で宅建の先生をやっている人が個人的に開いているブログやホームページには、親切にも時事ネタ予想問題をまとめてくれているものがあります。この問題や情報をいくつもあたってください。毎年、宅建試験の時期が近づくと最新の情報がネットに掲載されますので、試験1か月前くらいにそういったサイトを探し出すとよいでしょう。

第 9 章

抜け漏れゼロの仕事術を身につけよう！

1 取引タスクリストを作ろう

不動産業の仕事は壮大な伝言ゲームです。売主が売主側業者に意向を伝え、売主側業者が買主側業者に伝言し、買主側業者が買主に伝えます。すると、買主がその返事を買主側業者に伝え、買主側業者が売主側業者に伝え、売主側業者が売主に伝えます。これでやっと売主と買主の意見交換を一往復することができました。一往復するまでがとても長いです。やり取りに時間がかかります。

売主⇕売主側業者⇕買主側業者⇕買主という形で電話がスムーズにつながればよいのですが、売主や買主が仕事中だったり、業者が別のお客さんを接客中だったりすると、その分、待ち時間が発生し、一往復するのに2日かかるなんてこともあります。

不動産業者は同時並行で2つも3つも売買取引を進めているため、そのうち1つの取引でかかってきた電話対応を忘れたりする恐れが出てきます。

そういった**仕事の抜け漏れを未然に防ぐために、取引が始まったら「取引タスクリスト」を作**

りましょう。

「取引タスクリスト」とは、その取引でやるべきことについて書き出した箇条書きです。Aという物件の取引については「A物件取引タスクリスト」を作り、Bという物件の取引については「B物件取引タスクリスト」を作ります。私の場合はシステム手帳用のリストを用いていますが、エクセルでリストを作り印刷して持ち歩いても構いません。

お客さんから依頼されたことは、どんなに細かいことも全てその取引タスクリストに記載します。決して、そのへんのメモ帳や手帳のどこかにメモしてはいけません。メモすることは大切ですが、散発的にメモをすると、そのメモがどこかに行ってしまったり、メモしたことそのものを忘れてしまったりするからです。

ですので、その取引についての仕事はその取引タスクリストに全て書いてある状態にしておき、取引タスクリストだけを見れば抜け漏れが防げる仕組みを作ってください。

取引タスクリスト

物件ごとにリストを作り、
タスクが発生するたびに書き加える

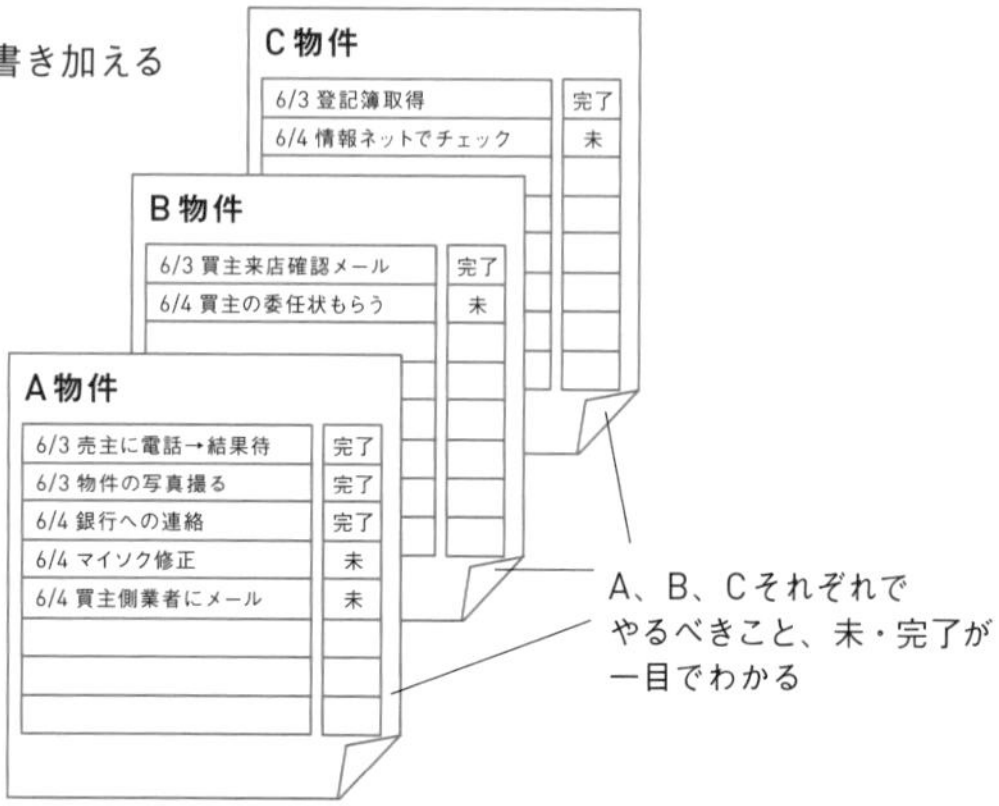

普通の手帳

メモを時系列に
書いていくだけ

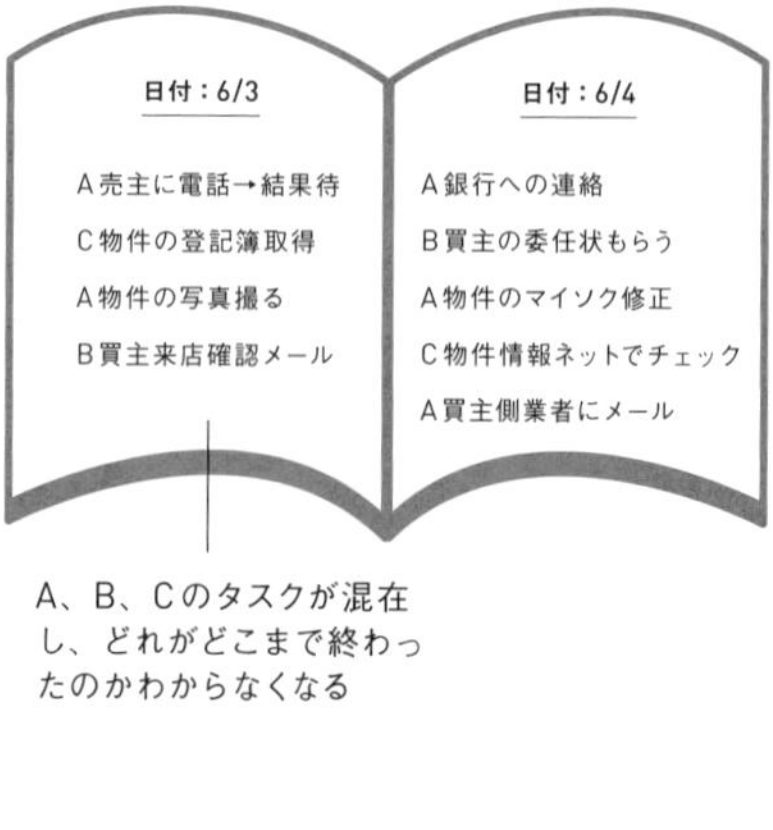

➡ **取引タスクリストを作ることで仕事の抜け漏れを防ぐことができる！**

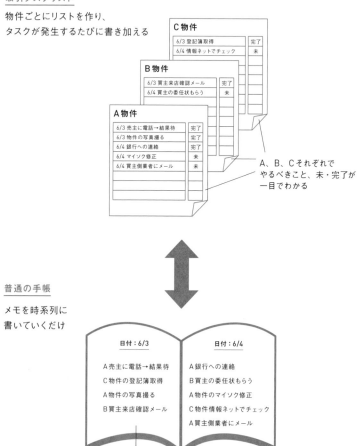

2 必要事項を日々持ち歩く習慣をつけよう

第３章でＡ４ファイルに全ての資料を入れて持ち歩いてくださいと述べました。先ほど作成した取引タスクリストもこのＡ４ファイルに入れ、持ち歩きましょう。会社で作業をするとき、現地調査に行くとき、役所に行くとき、お客さんに会うとき、肌身離さず持ち歩きましょう。

不動産業は壮大な伝言ゲームなので、売主と買主の間で情報のやり取りを一往復するのに多大な時間がかかります。ですので、せめて自分が受けた問合せについては速やかに伝達することが求められます。

このファイルを持ち歩いていれば、外出先でもいつでも物件に関する問合せに答えることができます。

間髪入れずレスポンスする習慣がつくと、お客さんや相手の業者だけでなく、会社の先輩や上司からの評判も上がります。

速やかに動くことで、ビジネスチャンスをつかむことができるようになります。そのためには、

必要な物を常に持ち歩く

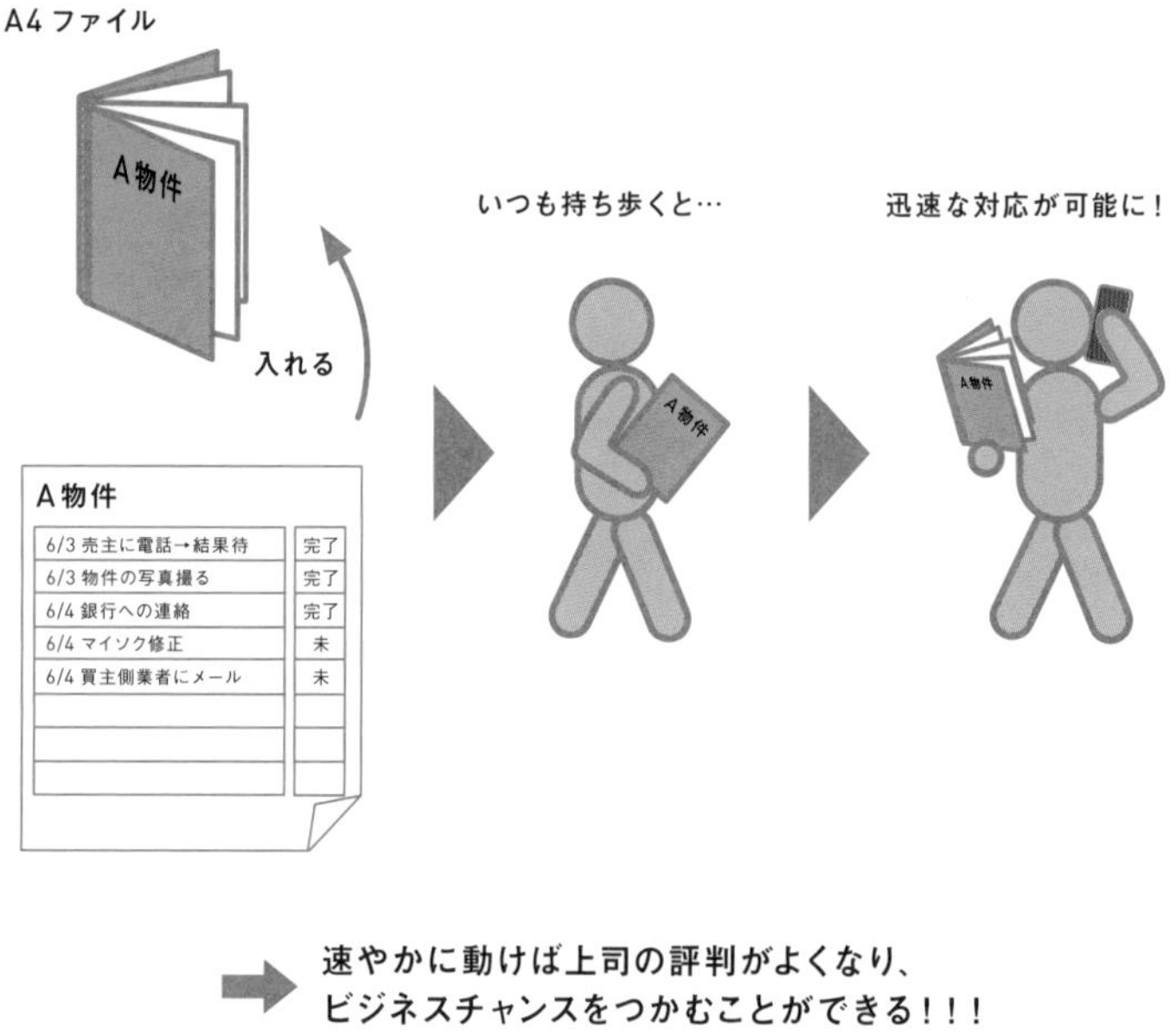

仕事は迅速に抜け漏れなく、いつでも対応可能にしておかなくてはなりません。

もちろん、休日や帰宅した後の話ではなく、あくまで勤務時間中の話です。ブラック企業のような働き方を求めているわけではありません。

3 クラウド活用でどこでもアクセス

必要な物をいつでも持ち歩く習慣をつけてくださいと述べましたが、昔ながらのＡ４ファイルを持ち歩くのは嫌だという人もいるでしょう。同時並行に進んでいる取引が多いと、Ａ４ファイルを4冊も5冊も持ち歩く羽目になり、それだけでカバンがパンパンになってしまいます。

また、学生時代からスマホやｉＰａｄのようなタブレットに親しんでいる世代は、そのスタイルで仕事をしたい人もいるでしょう。今でもスマホやタブレットだけで仕事を完結させることはかなり難しいですが、情報を持ち歩くという点においては、スマホやタブレットの右に出るものはないでしょう。事実、私自身もＡ４ファイルを持ち歩きつつも、ｉＰａｄを活用しています。

スマホやタブレットに全ての情報を入れて簡単に持ち歩くのにおすすめなのが、クラウドの活用です。クラウドのストレージを利用し、会社のパソコン内にある物件情報のフォルダをスマホでも見ることができるようにするのです。

クラウドのストレージとは、「インターネットを介して資料を保管する場所」という理解で十分です。様々な企業がクラウドのストレージサービスを行っています。その中で最も使いやすいのが、クラウドストレージサービスの老舗であるドロップボックス（Dropbox）です。使い方は簡単です。ドロップボックスを会社のパソコンにインストールし、自分のスマホやタブレットにアプリをインストールするだけです。

これを使えば、どこでも物件資料をスマホやタブレットから参照することができるのです。ただし、個人情報や機密保持契約を結んでいる情報などはドロップボックス内に入れないように注意してください。

ＩＴ化が遅れているといわれる不動産業界ですが、先進的な会社ではクラウドストレージを会社全体で活用し、効率化を実現しているところもあります。物件写真をスマホで撮り、すぐにアップロード。お客さんにクラウドストレージへのＵＲＬをメールし、お客さんが写真を見て、すぐに買付申込みを入れるなどの活用がなされています。ＩＴのＩはインフォメーションですから、本来は情報が命の不動産業界にマッチする技術のはずなのです。

古い非効率な仕事の仕方を変え、新しい技術を用いて効率的に仕事ができる一流のビジネスマンになっていきましょう！

クラウドを活用すれば、どこでも資料にアクセスできる

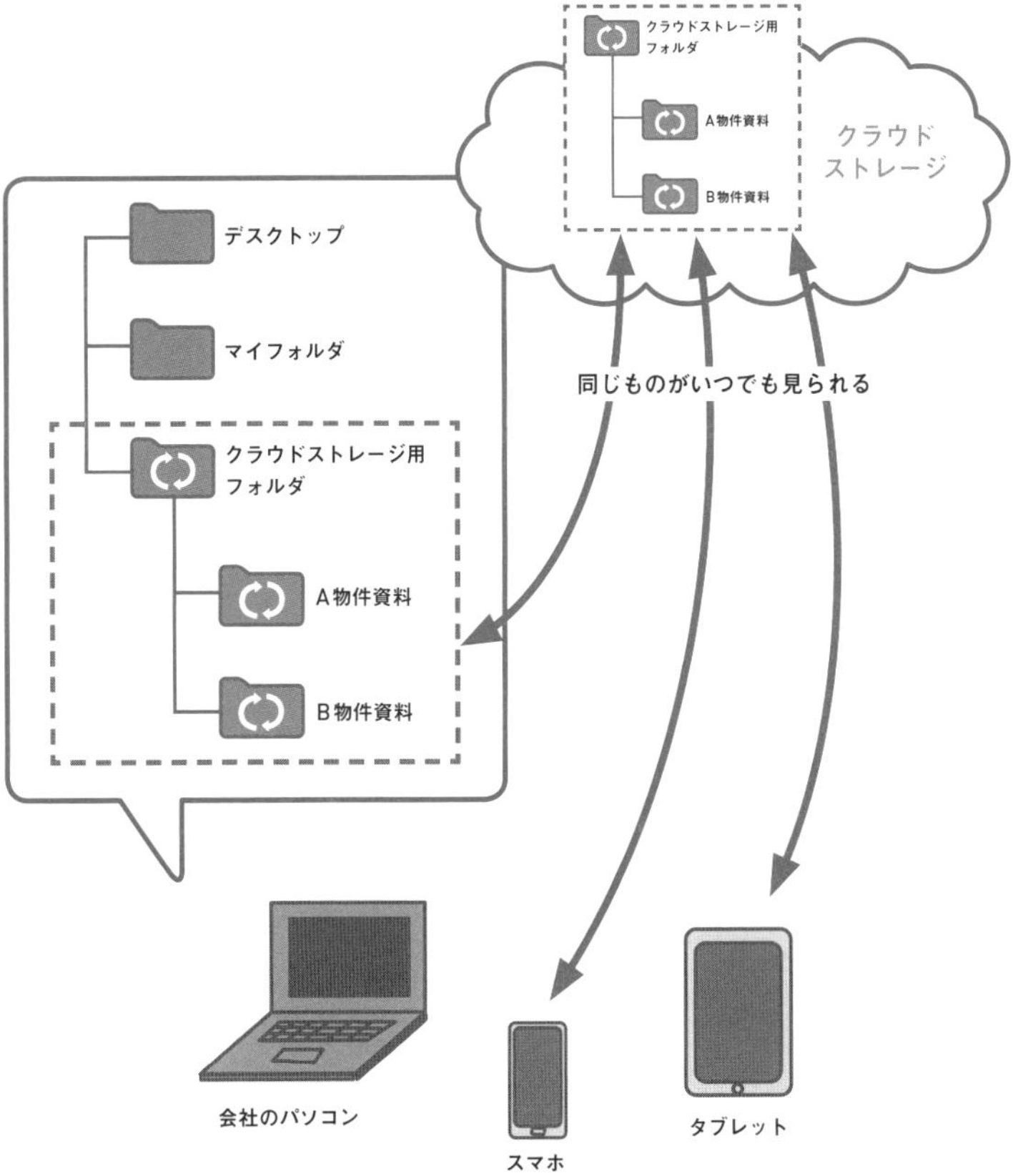

新しい技術を用いて効率的に仕事ができる
一流のビジネスマンになろう！

索　引

特　典

日割計算ができるエクセルシート　ダウンロード URL

利用方法

以下の URL にアクセスしてください。

https://drive.google.com/file/d/1rsAJc9_ZpEosow0SiuAPFN2fFYXatof1/view?usp=sharing

ダウンロードには別途 google アカウントが必要となります。

■著者略歴

姫野　秀喜（ひめの　ひでき）

姫屋不動産コンサルティング（株）代表。九州大学経済学部卒。アクセンチュア（株）で日本を代表する大企業の会計・経営コンサルティングに従事。
独立・開業後、年間100件以上の実地調査から得られる詳細な情報と高い問題解決力で、一人一人に合致した戦略策定から購入、融資、賃貸経営の改善までを一貫してサポート。不動産に関する記事は週刊ダイヤモンド、週刊ビル経営、日経ARIA、その他多数のニュースサイトに掲載されている。現在行っている無料相談は不動産を見極める力が身につくと評判。融資が厳しい現状でも、変わることなく1億円大家さんを多数プロデュースしている。
著書に『確実に儲けを生み出す　不動産投資の教科書』（明日香出版社）、『売れない・貸せない・利益が出ない 負動産スパイラル』（清文社）がある。

本書の内容に関するお問い合わせは弊社HPからお願いいたします。

誰《だれ》も教《おし》えてくれない　不動産売買《ふどうさんばいばい》の教科書《きょうかしょ》

2020年　5月　24日　初版発行

著　者　姫《ひめ》　野《の》　秀《ひで》　喜《き》
発行者　石　野　栄　一

明日香出版社

〒112-0005 東京都文京区水道2-11-5
電話（03）5395-7650（代表）
（03）5395-7654（FAX）
郵便振替 00150-6-183481
http://www.asuka-g.co.jp

■スタッフ■　編集　小林勝／久松圭祐／藤田知子／田中裕也
営業　渡辺久夫／奥本達哉／横尾一樹／関山美保子／藤本さやか
財務　早川朋子

印刷　株式会社フクイン
製本　株式会社フクイン
ISBN 978-4-7569-2087-4 C0033

編集担当　田中裕也

≪初心者も経験者も使える≫

最もスタンダードで再現性の高い１冊！

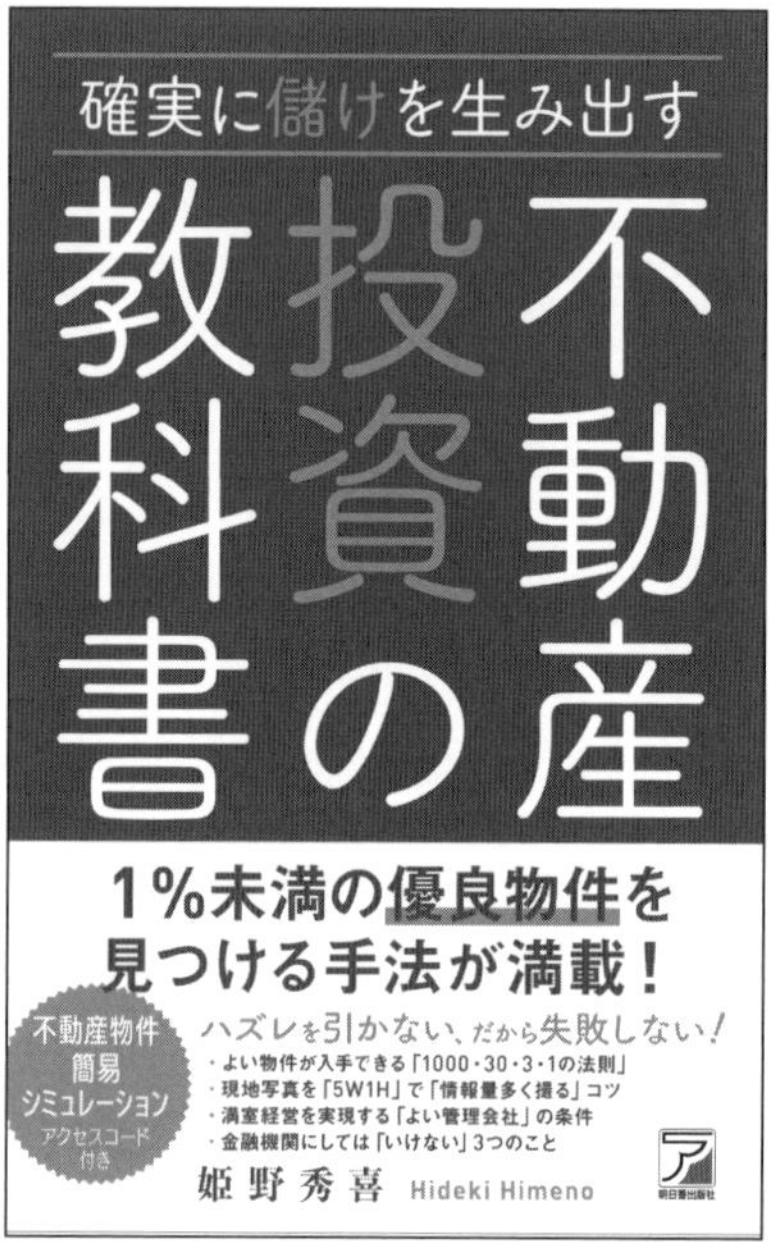

確実に儲けを生み出す　不動産投資の教科書

序　章　不動産取引の全体像
第１章　目標設定から始まる不動産投資の世界
第２章　不動産屋探しから始まるパートナー選びの世界
第３章　マイソクから始める物件の良し悪し判断
第４章　シミュレーションから始まる成功の未来
第５章　現地調査で高める物件目利き力
第６章　金融機関探しから始まる一流投資家への道
第７章　管理会社探しから始まる満室経営
第８章　売買契約・金消契約、そして大家さんの第一歩

姫野　秀喜　著

本体 1,800 円＋税／ISBN 978-4-7569-2034-8

≪好印象を与える極意≫

適切な話題を見つけ、飽きさせない！

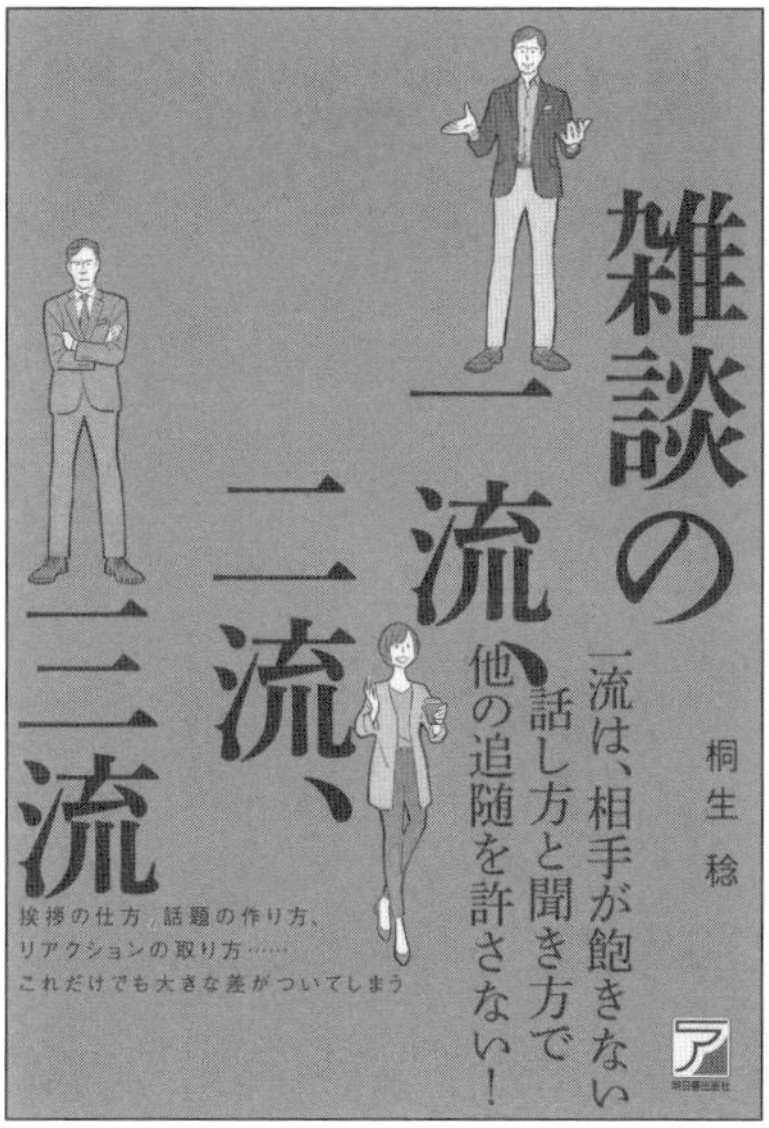

雑談の一流、二流、三流

Chapter1　雑談のはじめ方
Chapter2　話の広げ方
Chapter3　聞き方とリアクション
Chapter4　雑談の盛り上げ方
Chapter5　相手の懐に入る方法
Chapter6　好印象の残し方

桐生　稔　著

本体 1,500 円＋税 ／ ISBN 978-4-7569-2078-2